資本主義がわかる

的場昭弘
MATOBA AKIHIRO

# 「20世紀」世界史講義

日本実業出版社

# はじめに

## ヨーロッパの国民国家

本書の前史となる歴史的な事象について簡単に記していきましょう。本書は、『19世紀」でわかる世界史講義』（日本実業出版社）の続編です。そこでは、「世界史」というものの背景を説明していますが、ここでもう一度簡単にその内容を述べてみます。

同書の対象となるのは13世紀から19世紀までで、そこで問題とされたのは、「世界史とは何か」ということでした。世界史とはモンゴルの東欧への進出によって生まれたのですが、その世界史の中心が、アジアから次第にヨーロッパへ変わっていき、最終的にヨーロッパを中心とする世界史という概念ができたのです。

このような新しい時代が開かれていく原因となったのが、国家の宗教からの独立であり、それはヨーロッパ内での国家間の抗争と競争力の増大をもたらしました。こうした国民国家の出現を促したものが、宗教改革です。宗教改革によって、単一のヨーロッパ帝国、すなわち神聖ローマ帝国が崩壊し、イギリスやフランスといった国民国家が成立します。モンゴルの侵入、ペストの流行によって激変したヨーロッパは、アジアのなかに強引に引き込まれ、変化を余儀なくされたのですが、そこから新たな国民国家という小国家が並び立つヨーロッパが生まれたのです。

小国の並立は小国同士の抗争（三十年戦争、七年戦争、ナポレオン戦争）の原因となり、結局、19世紀に見られる国民国家（Nation State）を生み出します。小国分離の状態は競争を惹起し、それが大航海時代になると、各国の海外進出競争を生み出し、アジアへの進出、やがてはその支配へと至ります。そして新大陸への進出により、北米・南米で略奪の限りを尽くし、植民地化していきます。

## 知的文化の発展

こうした政治・宗教・経済の動きには、文化的な動きも呼応します。たとえばルネサンス運動（14～16世紀）においては、西アジアで発展した科学技術や古代ギリシア・ローマ思想（プラトン、アリストテレスなど）を受容し、新しい思想や文化を生み出します。マキアベリ（１４６９～１５２７）からデカルト（１５９６～１６５０）、カント（１７２４～１８０４）、ヘーゲル（１７７０～１８３１）に至る西欧思想の流れを見ると、ギリシア哲学の伝統を引き継いだ、宗教から分離した純粋哲学（知の探求学）の系譜があることがわかります。神を用いず自律的に思考しようとする姿勢は、社会科学や自然科学にも影響を与えていきます。

社会科学の世界、すなわち現実の政治・経済とのつながりのある実学の世界では、国民国家、聖俗分離、人民主権、民主主義、共和主義などがテーマとして取り上げられるようになります。

国民国家の成立期にホッブズ（1588～1679）、ロック（1632～1704）、モンテスキュー（1689～1755）、ルソー（1712～78）といった思想家が、現代にもつながる政治や社会についての基礎概念をつくっていきます。また経済活動の本質をどう捉えるかということで、重商主義や重農主義の考え方が提唱され、その受容・批判からアダム・スミス（1723～90）の経済学が芽生えてきます。国家の豊かさのための経済から、市民の豊かさのための経済への変化を象徴するのがアダム・スミスです。

自然科学の世界では、コペルニクス（1473～1543）が「コペルニクス的転回」といわれる地動説を唱え、それをガリレオ・ガリレイ（1564～1642）が実証し、ニュートン（1642～1727）力学へと引き継がれます。自然をあるがままに見る自然科学の成立です。そうした諸々の実学や物理学を背景に、やがて産業革命が起きます。

中世までの大学が、文法・レトリック（修辞学）・論理学・数学・音楽・幾何学・天文学（総合して「自由七科（リベラルアーツ）」）という非実用的な学問を中心として成り立っていたのに対し、新しい大学は自然科学・社会科学・人文学といった分野を擁し、とりわけ自然科学・社会科学において目覚ましい発展がありました。こうした学問の分類は、フランシス・ベーコン（1561～1626）の分類法に拠るところが大きいと言えます。

## 国民国家成立の条件

西欧による新しい世界史の創設は、それまでになかった新しいものを生み出しました。それは〝人間個人の豊かさ〟を求めるという動きです。自由・平等・友愛といった人権概念は、宗教や国王といった、さまざまな制度から人間が独立していくなかで生まれました。時には暴力的革命、時には平和的革命によって、それらの価値が確立されていきますが、それは国民国家の形成とパラレルに起きたことです。イギリスやフランスで生まれた国民国家は、現在に至るまで我々の思考を規定しています。

まず国家という枠を決め、そこからさまざまな人権を保障していく制度は、現在どの地域でも一般的になっています。憲法という国の枠を定め、そこから派生するかたちで各法律をつくっていくことをイメージするとわかりやすいでしょう。

国家とはなにかというと、西欧ではカトリック勢力からの独立が課題でしたから、第一義的には宗教から独立した政体（統治体）ということになります。もちろんこれは、宗教間の対立をもたらします。ヨーロッパではローマ・カトリックとプロテスタントの抗争です。

国家成立の初期に見られた現象は、人民は国王の臣下（臣民）として仕えるということです。国王の子供（臣民）であるということが、国民のアイデンティティを形成します。しかし、国王が多様な国民を統治する場合は、共通言語や共通民族という近代の概念が必要になります。

主権在民という考え方は、国民国家において、初めて可能となります。改革も革命も国家単位で行なわれます。国家には経済的独立が必要なので、税の徴収、貨幣の発行権などを占有する必要があり、司法組織、軍隊や警察などの暴力組織も国家が独占します。

それまでの多くの地域では、宗教であろうと民族・言語であろうとその境界は曖昧で、国家という単位が生まれてこなければ、それらをめぐる問題は起こらなかったと言えます。もちろんそれまでも差別や偏見はあったのですが、それらは制度化されず個人的なレベルにとどまっていたわけです。

こうした国家という形態は、アジアやアフリカでは、きわめて奇異に映っただけでなく、生みの親であるヨーロッパでも当初はおかしなものと見られていました。19世紀までのヨーロッパを見渡してみて、国民国家と言えるのは、フランス、イギリス、オランダぐらいのものです。その他の地域は、大きな帝国を成すか、あるいは小さな君主国家であるかです。

しかし、19世紀以降、国民国家が世界中に〝輸出〟され、その動きは1918年の第一次大戦終結で決定的になりました。ヴェルサイユ条約は戦勝連合国とドイツとの講和条約ですが、他の敗戦国との講話条約によって、ドイツ帝国、オーストリア帝国、オスマン帝国が解体し、その配下にあった地域はそれぞれ国民国家への道を歩みます。

ロシア帝国は、1917年に皇帝が退位しますが、22年まで存続し、ソビエト連邦という近代国民国家の連合体に引き継がれます。アメリカも国家（州）の連合体国家（合衆国）です。すなわち2つの巨大な、社会主義の連合体国家と、資本主義の連合体国家が誕生することになったのです。

国民国家というかたちに適さない地域、あるいはそれを為すのに多くの困難な条件を抱えている地域があります。しかしヨーロッパにおいても、すんなりと国民国家に移行したわけではありません。どこも力づくでそれを実現していったというのが実態に近く、その推進役を果たしたのが憲法の制定や学校教育の普及です。

憲法（Constitution）とは「国づくり」という意味ですが、憲法の及ぶ範囲に居住する者が国民とされ、言語も統一されていきます。日本は、ちょうどこうしたヨーロッパの国民国家成立時に明治維新を興しますので、日本政府はイギリス史やドイツ史、フランス史を教科書にし、日本という国民国家をつくり上げていきました。こうした国民国家に適合しにくい（あるいは抵抗する）地域である琉球やアイヌの北海道には、厳しい同化政策が採られていきます。

近代化とは、多様な人々が必ずどこかの国家の国民にならねばならないということであり、20世紀のさまざまな不幸はここから生まれます。

## 産業革命と勤勉

西欧が世界史にもたらした大きなもののひとつに産業革命があります。これは18世紀半ばにイギリスから起こったもので、産業機械の発達によって生産性が飛躍的に増大しました。それ以前はアジアが世界の生産の圧倒的シェアを占めていましたが、この状況が一変します。産業革命は「Industrial Revolution」を訳したものなので、産業は工業のことだと思われがちですが、Industrialとは「最も生産的な仕事」という意味であって、たまたまそれが農業やサービス業ではなく、工業だったために、そういう思い込みが生まれました。

生産性の高さは、労働の在り方に現れますが、ここでは分業という働き方に注意を向けましょう。

分業(division of labor)とは、労働過程、あるいは生産過程の分割です。それまでも男女の役割分担や農業と工業の分立など、社会的分業はありましたが、ここで重要なのは、工場内での工程(作業)の分割、生産過程の分割です。

これは同じ仕事場にいながら、労働者によって課される仕事が違うということです。これは「工場内分業」と呼ばれますが、別の仕事をしている人間とは同志的な気持ちになりにくい。さらに、機械が仕事の中心に居座っていて、個々の労働者は取り組む仕事が結果としてなにをつくり、どんな役割を担っているのかなど、その内容を知らなくても、即日から従事できるようになりました。そういう仕事では、労働に対する責任や研鑽の意欲が生まれにくく、ただ賃金を得ることが目的となりがちです。機械は疲れを知らず一日中動き続け、それに合わせて労働者は歯車として完全に管理・従属させられます。労働時間の延長、休日の削減によって、自ずと工場の生産力は伸びます。産業革命とは労働者が必然的に勤勉(industrious)にならざるを得ない革命、「勤勉革命」というものだったのです。

## 西欧化と自国主義とのジレンマ

18世紀は、こうしたヨーロッパで生まれたさまざまな成果が一挙にアジア・アフリカに流れ込んだ時代でした。それは「世界史」という概念が大きく変わった時代でもあったのです。

それまでの世界史はアジアがリーダーだったとはいえ、各地域がそれぞれ独自の歴史を刻んでいたのですが、18世紀からの世界史は、ヨーロッパが範を垂れて、ほかがそれに従うものになりました。国には序列が生まれ、国民にもその序列が浸透します。よりよく西欧化に適応できた国民が序列の上位にランク付けられることになるのです。ここからアジアの長い停滞が始まります。

ヴィクトリア女王

ヴィクトリア時代のイギリスは、拡張するヨーロッパの象徴です。繁栄を極めるイギリスは大英帝国として〝日が沈まない国〟なのです。ヴィクトリア女王（1819〜1901、在位1837〜1901）は、英国ばかりか世界に広がった英国圏の女王でもあります。国民国家は、自国が安定すると、海外に進出することで帝国化するようになります。

帝国とはいえ、大英帝国はそれまでの大陸型の統一の緩い帝国とは異なります。英語という言語を話し、宗教は国教会を中心とするイギリス（イングランド、ウェールズ、スコットランド）が中核となり、その周辺に彼らが移住した地域、すなわちカナダ・アメリカ・オーストラリア・ニュージーランド・南アフリカが連なり、その下に従属国があるという構図です。19世紀に生まれた人種論そのままに、アングロサクソンを頂点に、ラテン人、スラブ人、黄色人種、黒人といったランキングが存在しました。その枠組みは今も相変わらず残っていて、たとえばコロナ禍において、アメリカで「#Black Lives Matter」運動が起きたのは、同じ災厄でも黒人などの貧困層に負担が重くのしかかったからです。ヨーロッパでいえば、移民・難民にしわ寄せがいきました。「白人の責務」（white's burden）という言葉がありますが、それは白人が未開の文化を啓蒙し、発展させる義務を負っているということです。

それを言い換えると、「帝国の意識」ということになりますが、これはイギリスだけでなくフランス、ドイツにもありました。帝国の中心にいる宗主国の人種は、その帝国内の遅れた人種を啓蒙しなくてはなりません（ここで断らなければならないのは、「人種」という概念も、「民族」という概念も、19世紀に発見されたということです）。

こうした啓蒙思想は、実はルネサンス以降の西欧思想が行き着いた当然の結果でもあったのです。人々が経済的な豊かさを求めるという考えは、なるほど素晴らしいことですが、それが合理性や理性的なものを追求し、絶対的な真理を標榜するものになってくると、たちまち、ほかの地域よりも自らが秀でているという感覚が生まれます。19世紀に生まれたさまざまな西欧の学問は、一見きわめて実用的でありながら、実はヒエラルキーに基礎を置き、接する者に抑圧的に作用するものでした。

西欧の学問を手に入れることは、真理を学ぶことである以上に、西欧のこうした思想に屈服することでもありました。一気に西欧化を進めた日本のような国では、この問題が典型的に現れます。

しかし、その前例はロシアにあったのです。

ロシアは日本より200年前、ピョートル大帝（1672〜1725）の時代にギリシア正教会のビザンチン文化を棄て、西欧化の道を選びました。大帝は帝都サンクト・ペテルブルクを欧州の都市のようにつくり上げましたが、その後のロシアは、西洋化と自国主義の矛盾のなかにはまり込みます（今も抜け出せていません）。西欧化すればするほど、西欧からは見下される。その鬱積や怒りを非西欧にぶつけるという構図です。

明治維新以後の日本もまた、同じような轍を踏みます。西洋化にいそしむほどに〝猿マネ〟と言われ、学べば学ぶほどアイデンティティが失われていく。極東にあって、しかも西洋人とは似ても似つかない姿かたちをしている日本人の疎外感は、ロシア以上に大きかったかもしれません。西欧風の容貌や西欧語、西欧芸術や料理への憧れは、近隣アジアへの蔑視を生み出し、自らの文化の祖先（中国や朝鮮）を恨むことになるという問題です。

それと比べて、多くのアジアの国々、とりわけかつて文明の中心にいた中東・インド・中国は断固としてこの近代化を拒否します（トルコは19世紀前半に西欧化しますが、今もその揺り戻しのなかにいます）。そのために西欧との衝突に発展し、植民地になり、戦争に巻き込まれていきます。しかし、この苦難の戦いは、自らの伝統を維持したがゆえに起きたことで、その後の近代化を自らのものにできたのも、それがあったからとも言えます。

ロシアと日本は、あまりにも安易、あまりにも軽率に西欧を受け容れたために、一時的には成功するのですが、長い目で見れば失敗している事例ということになります。

## 欧州第一主義に陰り

世界史という概念は、ヨーロッパの優位性を根底に置いています。一般的な世界史の教科書は、ヨーロッパ文明が優れているという前提で始まり、その起源をギリシア・ローマに求めます。停滞していた中世でさえも、ルネサンスをもたらした自己陶冶（とうや）の過程として描き出し、近代化、資本主義、民主主義、国民国家などはすべて西欧製で、それらを劣った国々に普及させることが西欧人の役割、白人の責務であるというストーリーを創作します。

西欧が生み出した文化・文明（宗教・教育・言語・建築など）は、資本主義という媒体を通して世界中に拡がります。これがまさにグローバル化の過程であって、グローバル化とはすなわち、世界のヨーロッパ化のことです。世界中に設けられた西欧語の学校・大学はその先鋒であり、キリスト教会は世界宗教キリスト教の販売促進部隊として活動していきます。その結果、豊かなヨーロッパ人は〝最高人種〟であるとして君臨することになりました。

19世紀の西欧の思想家や歴史家で、アジアやアフリカの側に立って世界を見ようとした者は、きわめて少数です。これはカント、ヘーゲル、マルクスなども例外ではありません。

アダム・スミスやリカードなどの自由主義経済を推進しようとする書物も、植民地になったアジアやアフリカの人々にとっては、有害図書の部類でしょう。資本蓄積のためには、対外進出が不可避であることを説いた書物だったからです。アジア侵略のヒントを与えられたと受け取った日本人にとっては、きわめて優れた書物だったということになりましたが。

サイード（左）とダニエル・バレンボイム

1970年代の後半から、そもそもオリエンタリズム自体が西欧の視点によるものだという考え方が出てきました（サイード『オリエンタリズム』上下巻、今沢紀子訳、平凡社ライブラリー、1993年）。その提唱者であるエドワード・サイード（1935～2003）はパレスチナ出身の学者でした。それゆえにこそ、こうした視点を持ち得たのだろうと思いますが、アメリカの有名なコロンビア大学の教授であったことも影響力を発揮できた一因だったというのは皮肉なことです。

他方、植民地支配や帝国主義を批判的にとらえるポストコロニアル理論に影響を与えたスチュアート・ホール（1932〜2014）はジャマイカ出身のイギリス人で、バーミンガム大学で勤務していましたが、彼は同大学の教授ではなく市民大学の一講師でした。その経歴が、ポストコロニアルの運動が一過性に終わる原因であったとも言えます。

2020年5月25日、黒人青年が白人警察官5人に殺害された事件を受けて、全米各地でデモが起き、それ以前から批判があったマーガレット・ミッチェル（1900〜49）の南北戦争を扱った長篇小説『風と共に去りぬ』が黒人差別を助長する作風だというので、その映画化作品の配信が一時、停止されました。たくましく生きる主人公の白人女性に感情移入できれば感動的な大作ということになるのですが、主人公に仕えるメイドや農園労働者などの黒人に感情移入すれば、これはとんでもない映画ということになります。

マーガレット・ミッチェル

ことほどさように、我々は無意識のレベルで西欧の価値観に染め上げられています。

しかし、さしもの西欧第一主義も1918年（第一次大戦終結）以降、一変します。いよいよ西欧の自信に陰りが生じてきました。

その背景として、ヨーロッパでの悲惨な戦争があります。第一次大戦の戦死者は１６００万人に達し、それまでの１００年間の戦死者数を超えています。

ヨーロッパ中心の世界観を覆したものに、ベストセラーとなったオズヴァルト・シュペングラー（１８８０〜１９３６）の『西洋の没落』（第１巻・１９１８年。文献の直後に置かれた年数は原典の発行年とする。必要に応じて記載する。以下、同じ）があります。これはヨーロッパの歴史家による自作自演とも言うべく、差別するだけ差別し、ある時から改悛して平等主義者になるというのは虫が良すぎるのですが、影響力はその時代を支配する者にあるとするのなら、それしかないとも言えます。

ポストモダン、ポストコロニアルなどの西欧近代を否定する新しい思想が、シュペングラー以降、続々とアメリカやヨーロッパの白人社会で生まれるというのも、まさにその皮肉のひとつです。ジェンダーにしても同じです。西欧の帝国意識を批判する書物が、今日も西欧言語で出版され続けています。さらにそれを読む日本の学者たちは、近隣アジアの言語は知らなくとも英語やフランス語はできる。まさに皮肉な話です。私自身、そのピエロの一人ですが。

カバー原画　グスタフ・クリムト
『ベートーヴェン・フリーズ』（1901－2年）

# INDEX

ブックデザイン 中濱健治／DTP 一企画

# 第1章

# ロシア革命が第一次世界大戦終結を急がせた

## ――ヴェルサイユ条約の罪

「しかし、それと同時に、われわれは、社会的な観点からすれば、はるかに決定的な変化が第一次世界大戦とともに起こったことを認識すべきです。――第一次世界大戦においてこそ、長年にわたって確実だと思われてきたものが失われたのです。それまで、貴族や資本家は自分たちの地位に確信を抱き、社会主義者さえもゆるぎない信念をもっていました。二度とそういう確信は生まれませんでした。不確実な時代がはじまったのです。第二次世界大戦はこの変化を持続させ、拡大し、裏付けました。社会的な観点からすれば、第二次世界大戦は第一次世界大戦の最後の戦いだったのです」(ガルブレイス『不確実性の時代』斎藤精一郎訳、講談社学術文庫、2009年、185~186ページ)

これから通称「戦間期」と呼ばれている時代を扱います。1918~45年までのわずか27年ですが、20世紀はまさにこの時代に支配されているといっても過言ではありません。

## ロシア革命とヴェルサイユ条約

ここで触れるのは、ロシア革命とヴェルサイユ条約です。

第一次大戦の以前と以後で大きく変わったもの、それは新しい社会主義国の出現、戦後処理で成立した民族自決権、そしてアメリカ合衆国の覇権の成立でした。古いヨーロッパは徐々に、歴史の中心から外れていきます。その事実がより決定的になるのは、第二次大戦後ですが、いずれにしろ世界はヨーロッパの外で動くことが多くなります。

もちろん19世紀を支配したヨーロッパが、急速に歴史の表舞台からいなくなるということではなくて、〝日没後の薄明かり〟のようにヨーロッパの栄光は徐々にフェードアウトしていくわけで、近代というものが幻想として我々の思想の中に残っていくことになります。

ソ連崩壊後、30年以上が経ちますが、いまだにロシア革命をどう考えるかは定まっていないところがあります。社会主義革命あるいはマルクス主義の革命と捉えはするものの、資本主義後の未来を示した革命などとは、今は誰も考えないでしょう。それはソ連が70年ほどの歴史で脆(もろ)くも崩壊したことと、我々の未来に次の希望を残せなかったからです。

ロシア革命１００年（２０１７年）に際して和田春樹（１９３８〜）は、２月革命（ロシア暦2月23日＝3月8日）こそが真正で、それ以後のレーニンの革命はその延長にすぎないという学説が最近では復活していると述べています（『ロシア革命　ペトログラード１９１７年２月』作品社、２０１８年、17ページ）。ソ連時代の通説では、ロシア革命は２段階でなされ、２月革命はブルジョワ革命、10月革命が社会主義革命で、これら２つの革命によって新しい世界がもたらされたとされてきました。その定説が変わったというのです。

## ソ連と私

ソ連が健在だった時代は、フランス革命も２段階で考えられていました。１７８９年が市民革命、1792年の国民公会でのロベスピエールの権力掌握が革命のいっそうの発展であると。しかし、今日では、1789年だけが革命で、それ以降は革命ではないと考える人が増えています（私自身はこうした立場を採りません）。

私は、高校時代にソ連に憧れ、留学したいと考えていたので、現在のソ連の歴史的位置づけについては、苦渋を感じざるを得ません。モスクワ放送ラジオをよく聞き、ルムンバ大学（モスクワ）に行こうと考えていた高校生にとって、当時のソ連は輝ける国でした。大学でも、私の卒業論文は「1965年のソ連経済改革」、修士論文は「ソ連における貨幣・信用制度の研究」でした。

ソ連経済の研究をする者は、社会主義経済学会に属するのですが、私はそこの会員でしたし、大会組織の事務局を引き受けたこともありました。ただ、ソ連を研究することは、ソ連の真実を知ることができないというジレンマに直面することでもありました。もちろん公式統計や検閲に通った書物から内実をうかがうことは可能ですが、実際に見て、体験し、未公開の資料に当たることが大事なのに、それができないのです。

それは西側の日本やアメリカでも同じことで、時の権力は自国を立派に見せるためにプロパガンダを行なうがゆえに、自分にとって都合の悪い情報は隠します。しかし、ある程度自由な時間があれば、たとえば町を歩いたり、農村に行ったりして、おおよその見当はつきます。現在の日本についても、統計データでいかにごまかしても、地方の町を見れば、いかに悲惨な状況であるかはわかります。

　私は自分の目で見ないと信用しない質(たち)なので、マルクス研究者としての私はマルクスの住んでいた場所を見に行くだけでなく、未公開の彼の資料や論争相手の資料、とりわけ警察資料などを見ないと、研究することができません。これは本来、研究の鉄則なのですが、輸入学問ということに甘んじて、こうしたことをしない研究者が多いのも事実です。

　かようにソ連研究にはいろいろな障害がありました。そこでまず考えねばならないのは、なぜソ連や中国などのマルクス主義を標榜(ひょうぼう)する国家は、秘密主義に徹していたのかという点です。マルクス、そしてマルクス主義にある秘密主義は、どこから来たのか。これこそ私がマルクス研究で徹底的にこだわっている問題です。

　マルクス一人に責任を擦(なす)り付けることはできないにしても、彼は謀議が好きで、つねに組織の中心に立ちたいという野心があったことは間違いありません。弾圧とセクト闘争をしていくなかで、秘密主義が当時の共産主義組織のＤＮＡとなってしまったのかもしれません。その壁を越えて、真実を見極めるのは、至難のわざです。私の仕事の中心もその壁を打ち破ることにあるのですが、いずれにしろ調査と資料収集には膨大な時間と手間がかかります。

## １９２０年代の価値論争

大学時代、マルクスの研究をしながら、まず、ソ連の１９２０年代に興味を持ちました。20

年代といえば、まだソ連社会がどうなるかわからず、新しい実験がいろいろと行なわれていた時代です。とりわけ、戦時共産主義の時代からネップ（NEP：新経済政策）の時代に変わったころには、さまざまな新しい考え方が出てきて、きわめて面白い時代でもあったのです。

そのなかで私が強く興味を引かれたのは、社会主義価値論争、そして貨幣廃棄問題でした（拙稿「社会主義における貨幣廃棄の諸問題」『三田学会雑誌』1978年、71巻5号）。マルクスが述べている「価値法則のない社会」とは、いったいどういうものなのかが知りたかったからです。マルクスの資本主義批判より、その後に来る社会に関心がありました。マルクスは商品経済社会の後、すなわち私的所有社会の後に新しい社会が生まれると書いているのですが、それがいったいどんな社会になるのかには触れていないのです。

商品経済のない社会とは、生産物も労働力も商品にならない社会ですが、その社会はどういう基準で生産物を配分するのでしょうか。資源が無限であれば、勝手にお取りくださいですむのですが、資源は限られているわけで、必ず配分の問題に突き当たります。

価値法則とは、その価値を払う者に資源が配分されるということです。要するに金（かね）さえあればなんでも買えるが、そうでない場合はなにも買えないということです。

価値法則が貫徹しない社会とは、金がない社会、すなわち貨幣のない社会です。そこでどうやって生産物が配分されるのか。これは新しい社会をつくるには、きわめて重要な問題です。すでに19世紀後半から、マルクスのあいまいな未来社会の記述に批判が出て、オイゲン・フォン・ベーム＝バヴェルク（1851〜1914）やルートヴィヒ・フォン・ミーゼス（1881〜1973）などが仕掛けた「社会主義計算論争」というものがありました。自由市場に任せたほうがリソース（資源＝財）はうまく回るというミーゼスらの考えと、生産と分配はコントロールしたほうが財が効率よく回り、平等に配分できるという2派の論争です。後者からは、労働時間、労働エネルギーなどさまざまな貨幣なき社会の構想が出てきます。最終的には貨幣廃棄はできなかったので、貨幣廃棄は未来の共産主義社会で実現されるだろうという希望的観測のうちに、この論争は終わってしまいました。

こうした議論を戦わせたソ連の理論家の多くが、スターリン時代に処刑されてしまいました。しかし、少なくとも20年代の初めまでは、ソ連でも自由に議論ができたのです。私は卒業論文を書く前に、20年代の価値論争について卒業論文級のものをまとめました。

卒業論文は、65年にエフセイ・リーベルマン（1897〜1981）が提唱した経済改革をテーマにしました。ソ連が生き残るには、自由な議論とそれに裏打ちされた

ベーム＝バヴェルク

ミーゼス

改革しかなかったのですが、その最後の試みがこの65年の改革でした。フルシチョフ時代のある意味での自由が、ソ連に改革論議の機運をもたらしますが、結局、将来の社会主義への展望もなく、かといって資本主義社会の経済成長に適応する術もなく、なし崩しで失敗した改革と言えるでしょう。これは結果的に、後年にソ連を崩壊させる原因のひとつになりました。

## ロシア革命の意味

Ｅ・Ｈ・カー（１８９２～１９８２）という在野の歴史家がいます。我々の学生時代の必読書だった『歴史とは何か』（１９６１年、岩波新書、１９６２年）を記し、生涯をかけて膨大なソ連史を書き上げた人物です（*History of Soviet Russia, 1950-1978*）。ジョナサン・ハスラムが書いたカーの伝記は『誠実さの悪』（Jonathan Haslam,*The vices of integrity. E.H.Carr, 1892-1982*,Verso,1999）という奇妙なタイトルですが、邦訳では辞書的な意味での直訳ではなく、『取り込まれることの悪』と訳したほうが、内容に即したものになります（角田史幸・川口良・中島理暁訳『誠実という悪徳Ｅ・Ｈ・カー１８９２－１９８２』現代思潮新社、２００７年）。

頑固な歴史家であるカーが、資本主義陣営に取り込まれていく西側のソ連学者たちを後日（しりめ）に、いかにしっかりと戦ったかを記した書物です。

カーによればロシア革命は、非資本主義世界をつくり上げる試みであり、資本主義世界にも大きな問題があることを指摘した革命である、ということになります。カーは市井の学者であり、大学教授ではありません、ロシア社会主義に問題があることを知りながらも、帝政ロシアの人々の暮らしをよくしたロシア革命、またアジア・アフリカの悲惨な状態を断ち切る可能性を示唆したロシア革命は、称賛に値すると考えていたのです。

ニューレフトと呼ばれる人々は、マルクスによる社会主義社会とソ連の社会は異なったものだと批判しますが、カーはそのような主張をただ繰り返すのは意味のあることとはいえず、実際に起こったことからしか未来は見えないという点で、ロシアに学ぶ点は大きいと述べています。カーの『歴史とは何か』は、ただ史料を見れば語れる客観的記述主義、史料主義の歴史学に対して、未来を語り得る夢のある新しい歴史観を突きつけました。それは、ある意味で主観的な歴史観ですが、史料に基づいた主観主義です。19～20世紀の歴史主義が陥っていたベルンハイム（1850～1942）流の史料主義、客観主義（エルンスト・ベルンハイム『歴史とは何ぞや』1922年、坂口昻、小野鉄二訳、岩波文庫、1967年）を否定し、主観主義を打ち出したことは、1920年代の主観主義的哲学の興隆と併せても重要な意味を持っています。

エルンスト・ベルンハイム

客観主義に対抗したはずのアナール学派が、些末な客観主義に陥ったことを考えると、カーの『歴史とは何か』は今一度読まれるべきものでしょう（2022

年に新訳が出て好評だといいます）。なんといってもカーは、ソ連の歴史に夢を託して書いていて、ソ連が全否定されがちな現代の状況で、貴重な視点を提示してくれるからです。

## 時代に飲み込まれる

カーは１９８２年に亡くなっていて、89年のベルリンの壁の崩壊と91年のソ連崩壊を見ることができませんでした。89年はフランス革命２００周年で、修正主義的なフランス革命解釈が台頭していた時代です。拙著『「革命」再考』（角川新書、２０１７年）にも書いたのですが、フランソワ・フュレ（１９２７〜97）のグループは、フランス革命はブルジョワ革命であるという説を批判していいます。共産党員であったフュレは、スターリン批判以後のソ連に失望し、フランス革命からロシア革命に流れる革命の歴史を否定します。彼は、ロシア革命は歴史を変えるような革命ではないと厳しい判断を下しています。いわばカーとはまったく違った観点からの批判です。

アナール派の歴史家でもあるフュレは、フランス革命の現実主義的側面を重視します。彼は、マルクスがフランス革命を現実主義的に見ることができず、幻想の民主主義として批判してしまったと述べています。戦後、日本では丸山眞男（１９１４〜96）の「民主主義の虚妄に賭ける」という言葉が有名になりましたが、マルクスもそれと同じく理想を追いすぎたというのです。フランス革命には、成功した部分と失敗した部分があります。結果良しでいけば、前者だけに重点を置くことになります。しかし、失敗した部分にも汲み取るべきことがあります。私としては、恥ずべき成功よりも、誇るべき失敗に賭けたいという思いがあります。

## 第一次大戦終結を早めた理由

1991年のソ連崩壊で、ロシア革命はあだ花だったという意見が澎湃（ほうはい）として湧き上がってきました。遅れた国が未来を指し示し得るか。ロシア革命は、遅れた国が先進資本主義に追いつくための開発独裁であったと言えなくない。こうした議論は、ソ連崩壊とともに大きな声となってきます。

もしロシア革命が、共産党による資本主義を加速的に発展させる歴史的事業だったとすれば、国家主義的とはいえ第2のアメリカの出現（のちに触れます）だったとも言えます。オーストリア・ハンガリー帝国、オスマン帝国が崩壊し、ソ連はある意味でその間隙を縫って次なる覇権国家となるチャンスを得ました。資本主義市場とは別の新しい世界が生まれたというよりも、資本主義の一部を奪う新興勢力が生まれたと説明することもできます。

ロシア革命は1917年に起こりますが、膠着状態の第一次大戦にアメリカが参戦し、ウッドロウ・ウィ

ウッドロウ・ウィルソン

ルソン（1856～1924）の「14か条の平和原則」が提唱された理由には、やはり社会主義ロシアという得体の知れない国の出現が影響しています。東欧へのソ連の介入を阻止すべく、西ヨーロッパがアメリカと組んで事態の打開を図り始めたのです。それが第一次大戦の終結を早め、その後のヨーロッパの再編を促したとも言えます。

## ハプスブルクの崩壊

イギリスのA・J・P・テイラー（1906～90）は、カーと同じ市井の歴史家で、彼は『ハプスブルク帝国 1809-1918』（1948年、倉田稔訳、ちくま学芸文庫、2021年）のなかで、ドイツとオーストリアを分け、オーストリアは大ドイツ主義に吸収されるかたちで、その帝国を崩壊させていったと述べています。ハプスブルク帝国は多民族の帝国だったのですが、少数派のドイツ系が支配していて、それが第一次大戦後、小さな国民国家の集合体になり、やがてドイツ系が大ドイツ主義でまとまって、オーストリアは孤立します。それが小さなオーストリアという国民国家になりますが、やがてそれもドイツに飲み込まれるのです。

私はユーゴスラビア留学時代、クロアチアの首都ザグレブ、かつてオーストリア帝国の一部だった都市に住んでいました。ザグレブは「小ウィーン」と称され、街のあちらこちらにドイツ文化の名残がありました。ドイツ名ではアグラムであり、その近くのカルロヴァッツはドイツ名ではカールシュタットと呼ばれました。元はハンガリーの支配下にあった国ですが、同君連合となってからは、オーストリアの都市となります。クロアチア生まれの有名な発明家・電気技師のニコラ・テスラ（1856〜1943、父はセルビア系でした）は、当時はオーストリア出身とされていました。

ヨシップ・ブロズ・チトー

ニコラ・テスラ

ウィーンはコスモポリタンな街でした。ドイツ人が人口に占める割合は低かったのですが、そのドイツ人がこの国際都市の中に生きることで、なんとか神聖ローマ帝国時代の面目を維持していました。それが第一次大戦によって完全な国民国家になってしまった。そうすると周辺地域は、小さな国の集合体になり、お互いを憎み合い、逆にドイツのもとに従属してしまいます。第一次大戦が生み出したものは、まさにそうした不安定状態だったわけです。国際的なオーストリア（ハプスブルク帝国）のもとだったから、なんとか小国家群はまとまっていましたが、民族主義的なドイツのもとではうまくいきませんでした。この不安定要因は今でも残っています。

ユーゴスラビア内の共和国同士のいがみ合いは、ヨシップ・ブロズ・チトー（1892～1980）や共産党をもってしても治めることができませんでした。「南スラブ民族でまとまればいい」などというのは、言語上の共通性を指摘しているだけで、実際の役に立つ概念ではありません。

この地域は、かつてオスマントルコ、ロシア、ポーランド、スウェーデンなどが力を伸ばしていたのですが、19世紀はオーストリア・ハプスブルクでなんとか落ち着いていたのです。民族独立というナショナリズムが、東欧を小さく切り裂き、まとまらない小国家群をつくり上げてしまったわけです。

## 第一次大戦の背景と中央ヨーロッパ

第一次大戦終了後のヴェルサイユ条約では、ドイツの力を徹底して押し下げることに焦点がありました。ジョン・メイナード・ケインズ（1883～1946）が『平和の経済的帰結』（1919年、早坂忠訳、『ケインズ全集』第2巻、東洋経済新報社、1977年）という書物で、この問題を深くえぐっています。

第一次大戦は、いつ起こっても仕方のないものであったと言えます。レーニン的に述べるならば、植民地の再分割という帝国主義戦争ですが、1848年革命

ケインズ

以降くすぶっていた東欧地域の民族主義運動とも関係していました。オーストリアとセルビアとの緊張関係は、すでにクリミア戦争（1853～56年）を惹き起こしていました。セルビア、ルーマニアが位置する地域は、歴史的にトルコとロシアの影響力が強いのですが、ここにフランスとイギリスが介入してきたのがクリミア戦争です。当時は、ドイツもイタリアも国として存在していませんでした。衰退するトルコのもと、ロシアを追い出し、バルカンから中東、アフリカに伸びる地域を、フランス、イギリスが独占していく。これはやがてアフリカにおける英仏両国による分割、アジアにおけるロシアの封じ込め、日英同盟締結へと進みます。要するに、クリミア戦争をはじめフランスとイギリスの権益拡大が、日本の明治維新を含めアジアの変動とも関連していたわけです。

この英仏に対して、新たに勃興したドイツやイタリアがこの地域へ進出してくるのは当然であったとも言えます。ドイツはこの地域を手中にすると同時に、アジア・アフリカへの展開も画策していきます。

フリードリヒ・リスト

フリードリヒ・リスト（1789～1846）の『経済学の国民的体系』（1841年、小林昇訳、岩波書店、2014年）に「後背地論」という理論がありますが、これはドイツが東欧地域を後背地として原料と労働力の供給基地とすることです。植民地を持たないドイツにとっては、東欧こそその対象であり、そこに橋頭堡を築くことが重要です。今でも東欧、とりわけチェコ、ポーランド、ハンガリー、スロベニア、ルーマニア、クロアチアは、ドイツの後背地として安価な労働力を供給しています。

この体制は、これらの地域が戦後に社会主義国になっても変わりませんでした。後背地の労働者は、ガストアルバイター（出稼ぎ外国人労働者）としてドイツの工場などの肉体労働を支えていました。それがベルリンの壁の崩壊へつながる原因のひとつですが、今でもこの構造に変化はありません。

２０１８年、ルーマニアのシビウに2度行きましたが、右も左もドイツの工場だらけでした。シビウはヘルマンシュタットというドイツの名前を持つ街でもあります。ポーランドでも、昔の名でブレスラウ（ヴロッワフ）などはドイツの街そのものであり、チェコではプラハ、オストラバ、ブルノなどはドイツ的な雰囲気があります。こうした街は、社会主義時代でも旧東ドイツの産業地域であり、農業地域でした。東西ドイツが統一されて、元に戻っただけです。コロナで有名になった「クラスター」という言葉を使えば、東欧地域にはドイツの産業クラスターがあちこちにあるというわけです。

もちろん、オーストリアのドイツ人であるか、ドイツのドイツ人であるかは、東欧にとっても微妙な問題です。鉄道や道路を見ると面白いのですが、東欧の南と真ん中はすべてウィーンを中心にできています。だから、ザグレブからすぐ近くのバラトン湖やブダペストに行くのは厄介です。北はライプチヒが中心で、そこから放射状に道路が広がっています。先日あるドイツ人が、ライプチヒのこの特性を、ベルリンの壁崩壊以後の統一ドイツが、東欧に対するイニシアチブを取ろうとする理由として述べていましたが、なるほどと頷けるところがあります。

フランツ・ヨーゼフ1世

エリザベート（シシー）

ザグレブ大学の図書館には、ドイツ語の本がたくさんあります。同大学は17世紀にできましたが、中央図書館はお見事で、ドイツ語の本は20世紀初頭までの主要な文献に関しては、ほぼ完璧にそろっています。

セルビアは、このドイツ地域に入りません。ドイツ圏の国境が、クロアチア、ヴォイヴォディナ、トランシルバニア（モルダビア、ワラキアはルーマニアでも別の文化です）までで、それより南はドイツ圏ではありません。ベオグラードの町を歩くと、どことなくトルコの匂いがするのは、まさにそうしたことからです。

最後のオーストリア皇帝フランツ・ヨーゼフ1世（1830～1916）は、その妻でバイエルン出身のエリ

ロミー・シュナイダー

グスタフ・クリムト画『ユディト』（1901年）

ザベート（シシー）が有名です。いや、むしろ映画『プリンセス・シシー』（エルンスト・マリシュカ監督、1955年）、その続編となる『若き皇后シシー』（同監督、1956年）でシシーを演じたウィーン出身の俳優ロミー・シュナイダー（1938〜82）の印象が強いかもしれません。普墺戦争の翌年、1867年のオーストリアとハンガリー間のAusgleich（妥協）によって、オーストリアはハンガリーを含む大国になります。きわめて長く続く王位を継いだフランツ・ヨーゼフ1世は、第一次大戦中に亡くなります。

このあたりがオーストリア・ハプスブルクの栄光の時代で、〝世紀末〟の独特の文化を生み出します。グスタフ・クリムト、エゴン・シーレ、ヨハン・シュトラウス、グスタフ・マーラー、ジクムント・フロイト、エルンスト・マッハ、カール・メンガー、エトムント・フッサールなど、崩壊していく帝国の爛熟文化が花開きます。

第一次大戦は、オーストリアで戦端が開かれます。1914年6月28日、オーストリアの王位継承者フェルディナント大公夫妻の暗殺事件（サラエヴォ事件）が起こりました。ザグレブやリュブリアナの地名は知らなくても、サラエヴォだけはよく知られているのは、この事件のゆえでしょう。

ガヴリロ・プリンティップ

ボスニア＝ヘルツェゴビナを訪問した大公夫妻が、大セルビア主義者のガヴリロ・プリンティップ（1894〜1918）に撃たれるという事件です。東欧地域は、民族が入り乱れています。だからつねに国境紛争や民族紛争が起こります。セルビアはプリンティップを英雄視し、ロシアに接近してオーストリアと対抗します。最初は小さな火だったのが次第に大きくなっていきました。その1か月後の7月28日、第一次大戦が始まりますが、三国同盟のイタリア、ドイツがオーストリア側に加担し、三国協商のフランス、イギリス、ロシアがこれと戦うことになります。それはアジア・アフリカも巻き込む大戦争でした。

## 悲惨な大戦

2014年は、第一次大戦100周年をめぐる記念イベントが目白押しでした。第一次大戦は、とりわけフランスにとっては、最も大きなトラウマとなりました。

８００万人の男子が兵士となり、軍民合わせて２００万人が死亡し、負傷者が４００万人といいます。しかも、それはほとんどフランス国内での戦争であったことで、フランス北部のランスやサンカンタンなどの街は壊滅状態となったのです。

20年くらい前、勤務先だった神奈川大学が主催していた非文字資料の研究で、ランス市の第一次大戦の要塞博物館を訪問したことがあります。ランス市街から少し離れたところにある野外の博物館ですが、毒ガス兵器による死者の遺品などの展示がなされ、その場所自体が要塞だったこともあり、一進一退の攻防が行なわれたことを説明しています。

フランスでは、多くの公共の建物には戦没者の名前が刻んであります。史料収集のために各地の図書館や古文書館を訪ね歩いていた30年以上前、各県の古文書館や図書館にあった碑文で、多数の死者が出たことを知りました。碑文は２つあり、ひとつは第一次大戦、もうひとつは第二次大戦のものです。当然ながら、第一次大戦のほうが多いのです。第二次大戦は大方がレジスタンスの死者です。

第二次大戦ではフィリップ・ペタン元帥（１８５６〜１９５１）が降伏したことで、フランスはナチの占領地域とヴィシー政府の管轄に分かれ、１９４４年6月6日のノルマンディー作戦以降は連合軍を前にドイツは撤退したため、フランス国内での戦死者は意外に少なかったのです（もちろん、東部戦線の死者数が想像を超えるものであったことは間違いありません）。

第一次大戦では親戚関係に必ず一人は死者がいるという惨状でした。当時の普通の兵士たちの手紙を集めた本（Jean-Pierre Guéno, *Paroles de Poilus: Lettres et carnets du front 1914-1918*, Librio, 1998）があります。戦争が始まったばかりの9月の手紙にはこんなことが書かれてあります。

「われわれは死者の背嚢（はいのう）を拾い集めた。そこには手紙や日記があり、フランス語やドイツ語で書かれていて、後方の親しい人へ宛てられたものである。それはすべてもう一度、なにもなく再会できる希望で終わっていた。――これを書いた人間は死んでしまっていたのだ」（20ページ）

この戦争で被害が大きかったのは、なんといってもセルビア、そしてベルギーでした。あまり関心を呼びませんが、ドイツ軍は現在のウクライナのリヴィウなどを攻撃していますので、東部戦線もひどいものでした。ロシア革命以後、この地域はトロツキーがブレスト＝リトフスク条約（1918年）の締結にやって来ますが、ドイツ軍はいったん休戦するものの、すぐにロシアに攻め込んでいきます。やがて、西欧からの共産主義討伐軍がこの地に侵攻し、戦争は長期化します。

フィリップ・ペタン

第一次大戦といえば、総力戦体制の確立です、国民の一致団結が求められ、軍人だけの戦争から国家市民全体の戦争へと変貌を遂げたわけです。総力戦体制については、また別途話をするとして、ヴェルサイユ条約を見てみます。

## ヴェルサイユ条約とその後のヨーロッパ

ヴェルサイユ条約は、その後にヒトラーを生んだ原因のひとつであり、あまり評判のいいものではありません。戦勝国の無理な賠償金要求がドイツを追い詰めました。ヨーロッパでは、ドイツの役割が昔から重要です。ドイツが東西の中央にあり、いろいろな意味でヨーロッパのバランスを担っている。その構図は今でも変わりません。１９８９年にベルリンの壁が崩壊したとき、安定装置としてのドイツの役割をどうするかという問題が浮上しました。ドイツの力が強いと不安定さが増し、逆にドイツが弱くても不安定さが増します。ドイツに対してアメとムチをどう使うかが、ヨーロッパの安定に直に結びつきます。

マックス・ウェーバーも、そしてマルクスもロシア脅威論を展開します。近代化したロシアがナポレオン戦争で勝利を収め、アジアで南下政策を採り、ヨーロッパの脅威になっていたことから、そういう議論が出てきます。ロシアの前の脅威はポーランド、その前はオスマントルコであり、つねにロシアが威圧を加えていたわけではありません。むしろ西欧を結束させるための外交戦略として、またロシア経済を西欧の発展の礎とするために、19世紀のロシアの〝野蛮〟が捏造（ねつぞう）されたと言っていいのです。

オーストリアとセルビアの戦争が、ロシアの参戦を生み出し、それに呼応してドイツがフランスとロシアを攻め、第一次大戦が始まった。結局ロシアではなく、ドイツが最大の脅威だということが、これで明らかになるのですが、他方でドイツはヨーロッパの中心でもある。そこに戦後ドイツの処理問題の難しさがあります。この構図は現在も同じで、ドイツをロシアに近づかせず、ヨーロッパに留め置くことが、EU（欧州連合）の政策の要になっています。

ヴェルサイユ条約は1919年6月28日に締結されるのですが、これは戦後のドイツを決定づけ、現在まで続く国民主権、国民国家の枠をつくり上げます。

## 民族自立、戦争責任、植民地

1919年のヴェルサイユ条約は、矛盾の塊（かたまり）であったと言えます。ケインズはこの会議に参加し、そのまとめ役を担います。彼によると、基本的理念はウィルソン米大統領の提案した14か条にあり、そのなかで民族自立がうたわれていました。戦争で多くの犠牲者を出したフランスとイギリスにその案がずたずたにされ、ドイツの戦争責任が厳しく問われることになりました。

ジョルジュ・クレマンソー

フランスのジョルジュ・クレマンソー（1841〜1929）、イギリスのロイド・ジョージ（1863〜1945）は、自国民の支持を受けて、多額の賠償金の支払い、連合国軍による占領地の確保、船舶車両等の没収などのさまざまな要求をドイツに飲ませました。

第一次大戦が大きな分水嶺をなしているのが、民族自立の権利の確立です。これによって帝国が消滅し、民族国民国家が出現するのですが、その根本理念をウィルソン（大統領になる前は大学教授でした）が提出しました。19世紀以前にあった、ヨーロッパのかつての帝国の利権をすべて放棄させ、新しいヨーロッパをつくることに意味があったのですが、これはロシア革命による民族自決権の人気に押されたかたちで出てきた妥協の産物でした。その意味で、独立を求める側の声を十分に汲み取れていなかったのです。

ロイド・ジョージ

過重な賠償と領土の割譲が戦後ドイツの負担となり、さらにドイツが東欧を含む中央ヨーロッパの経済構造を支えている事実を無視し、ただでさえ不安定だった同地域をいっそう不安定なものにしました。

ヴェルサイユ条約からはアジア・アフリカの植民地は除外されていたため、同地は勝利国による植民地の再分割の場になりました。こうした諸問題は第二次大戦まで引き継がれていきます。本章冒頭のガルブレイスの引用にあるように、第一次大戦の積み残しの処理が、第二次大戦だったということになります。

# 第2章

# 第一次世界大戦後の経済

## ——金ぴかのアメリカと賠償にあえぐドイツ

## 第一次大戦後のドイツ経済

第一次大戦におけるドイツの敗北は、ドイツ革命（１９１８年）によるものという説があります。一般的にDolchstoss（匕首による一刺し）とも言われているもので、ドイツの崩壊は外からではなく、内からもたらされたものだというのが、その説の言わんとするところです。ドイツ革命は、ホーエンツォーレン（皇帝が輩出した一族）体制を崩壊させ、ドイツは帝政を脱して国民国家となります。この内＝背後からの一刺しが、ドイツにとって思わぬ事態をもたらします。

それは、ドイツは敗北したのかどうかという問題です。敗北したのではなく、ドイツ自身で体制を変えたのだという自負、それはワイマール共和政というものへの信頼というかたちで現れます。しかし他方、ドイツは軍事的には負けていない、ドイツは戦争に負けたのではなく、講和を望んだのだという見解が存在しました。

この２つの対立は、内部におけるワイマール体制への批判と、ドイツは間違っていなかったのだという自負というかたちで戦後の世論を誘導していきます。そしてドイツは共和政になって以後も、ドイツ民族としての共和政にこだわり続けることになるのです。

ドイツは戦争に負けなかったがゆえに、ヴェルサイユ条約での賠償金などは了承できない。そして連合国が要求した民主化という概念もドイツには当てはまらない。ドイツは民主主義国であるよりもドイツ民族の国であるという考えが、ヒトラーを待望する下地を醸成します。

先に述べたように18年の11月初めに起きたドイツ内部での革命は、ドイツ帝国の崩壊、ドイツ皇帝ホーエンツォーレン体制の崩壊の原因となり、ドイツは帝政から脱却し、名実ともに民主国家の仲間入りを果たすことになります。

しかし、ヴェルサイユ条約によってできたワイマール体制はきわめて脆弱であり、ドイツは核となる政党を欠いたまま、政治は混迷をきわめます。とりわけ戦後の経済破綻がその体制を揺るがします。ケインズが『平和の経済的帰結』（１９１９年）のなかで、レーニンの言葉として、こう書いています。

「レーニンは、資本主義体制を打倒する最善の道は通貨を台無しにすることだ、と宣言したといわれている。絶えざるインフレーションの過程によって、政府は、密かに、それと知られずに、市民の富の大部分を没収することができる。この方法によって、政府はたんに没収するのではなく、恣意的に没収するのであり、この過程は多くの人々を困窮させる反面、一部の人々を事実上富裕化するのである。このような富の恣意的再配分の情景は、安全感に対してのみならず、現在の富の公平性への信頼感に対しても、打撃を与える。このような仕組みによって、自分たちが当然受け取るべきものを上回り、自分たちの期待や願望をすら上回る予想外の利益を受け取る人びとは「不当な利益者」となり、彼らは、プロレタリアにとってのみならず、インフレ政策によって貧しくさせられたブルジョワジーにとってすら憎悪の的になる。インフレーションが進行し、通貨の実質的価値が月ごとに大幅に変動していくにつれて、資本主義の究極の基礎をなしている、債務者と債権者との間の一切の恒常的関係が完全に混乱させられて、ほとんど無意味になり、富を得る過程が賭博や富くじに堕してしまうのである。レーニンは確かに正しかったのだ」（前掲書、184～185ページ）

1989年にベルリンの壁が崩壊したのち、東ドイツは、実は国家の存続を希望していました。西ドイツとの交渉でそれを保証されていたのですが、西ドイツは通貨統合を要求しました。通貨が共通になれば、生産力の弱い地域はあっという間に発券国に飲み込まれてしまいます。通貨というのは、国家の存立にとってきわめて重要なのです。

通貨が崩壊するということは、まさにそうしたことを意味しています。軍は敵国を攻めるときに、インフレを起こすために偽紙幣をばら撒いて撹乱しようとしますが、これも戦争の一部なのです。

通貨の崩壊は、多くの場合、外国通貨に対する交換率の悪化から始まります。当面国内での通貨の価値は下落していなくても、国外の通貨に対して下落する。ケインズは同じくこう述べています。「国内における事態がどうであろうとも、通貨は国外ではほどなくその実質水準に到達せざるをえず、その結果、国内価格と国外価格との間の正常な調整が失われてしまう」（前掲書、188ページ）。

アベノミクスのもと、海外通貨に対して円安が続きました。円安により輸出が伸びても、日本のGDP（国内総生産）は外貨で計算すると大幅に減少しました。実際、仕事で海外に行くことの多い私は、このことを顕著に感じます。マクドナルドのハンバーガーは世界のどこにでもあるので、比較するのが簡単です。同じハンバーガーの値段がスウェーデンだと日本の３倍、アメリカだと2倍、メキシコ、タイだとやや日本が高い。海外通貨で計算した日本の給与は急激に落ちています。海外の商品に対して、日本の円はインフレです。輸入品が高くなってくると、それに気づきます。

## ハイパーインフレーションの原因

ドイツそしてオーストリアの第一次大戦後のハイパーインフレーションは、いくつかの領土を失い、国民を失い、小さな国になったことから起こりました。オーストリアは、ドイツとの併合はなかったし、賠償金も要求されなかったのですが、小国家になったことで、これまで自前だったものが輸入に頼ることで経済が不調となっていきました。しかし、回復も早かった。

シュテファン・ツヴァイク（１８８１〜１９４２）は面白いことを言っています。戦後、彼はドイツに近いザルツブルクに住んでいたのですが、そこがインフレに見舞われたために、ドイツからバイエルン人が訪れ、ものを買い漁っていったというのです。ザルツブルクから州都ミュンヘンまでは、列車で1時間半ぐらいの距離があります。

ところが１９２１年になると、オーストリアでは次第に物価が安定し、逆にドイツで物価が高騰し始めます。そうすると今度はオーストリア人が強くなった自国通貨を持ってドイツへ買い物に出かけて行くようになります。攻守交替ということです。

インフレの結果、多くの芸術作品が貴族の館から消えていきました。インフレはある意味、貧富の差のシャッフルになります。

私は紙幣を集めるのが趣味で、子供のころからいろいろと集めているのですが、オーストリアの「Gutschein（グートシャイン）」という銀行が発行する地域貨幣をたくさん持っています。これは昔、ウィーンで買ったものですが、それぞれの地域で使える地域貨幣です。インフレでどうしようもなかった第一次大戦後に出回ったものだと思われます。

76年にイタリアに行ったとき、やはりこうした地域紙幣を多く見ました。当時イタリアは鋳貨が不足していたのです。

なぜ鋳貨が不足していたのかというと、たとえば当時の１００リラはニッケルでしたが、１００リラのニッケルの市場価値は１００リラの額面より高い。そうすると、貨幣として使うよりも、それをフランスに持って行ってニッケルとして売るほうが得するからです（コインをつぶしてニッケル棒にすることは通貨偽造法に触れる罪です）。

当時イタリアでは、おつりは地方銀行が発行する地域紙幣をくれました。期限がくると減価するので、早く使わないと損をします。あるいは、おつりの代わりに公衆電話のコインであるジェットーネをくれたり、あげくには、飲み屋ではもう一杯飲まないかと誘ってきました。

オーストリアは地理的にスイスが近いので、インフレ時にはスイスフランを使ったり、または大きな都市が少ないので物々交換をしていました。

２０１４年に邦訳が出て、ベストセラーになった『21世紀の資本』（山形浩生ほか訳、みすず書房）の著者・トマ・ピケティ（１９７１〜）が、第一次・第二次の世界大戦によって、一時的に格差が減少したと述べていますが、第一次大戦ではそれまで豊かだった旧貴族層や大地主が没落し、産業ブルジョワジーが豊かになったわけです。

## ドイツのインフレの背景

ドイツにおけるインフレには、オーストリアと違ってかなり厳しい条件がそろっていました。ドイツは、第一次大戦の戦費調達のために公債を発行して賄いました。税金ではなく公債という点で、最初からインフレになる可能性があったわけです。多額の公債を発行し、ライヒスバンクと呼ばれる中央銀行がライヒスマルクを発券することで、戦費を支える。市中には多額のマルクが流れ、インフレを呼び込みます。

さらにドイツにはもうひとつ問題がありました。先にも触れた戦後賠償の問題です。ヴェルサイユ条約の基本事項であるウィルソンの14か条が踏みにじられたという話は前にしましたが、これは各国の利害によって踏みにじられたのです。多額の賠償金、土地の割譲、船舶車両等の没収がドイツに対して課せられました。

この14か条を起草したメンバーの一人であったアメリカのジャーナリスト、ウォルター・リップマン（1889〜1974）は、有名な書物『世論』（1922年、掛川トミ子訳、岩波文庫、上下巻、1987年）のなかで、これに言及しています。

リップマンは世論操作という新しい時代のイメージ戦略について述べているのですが、人々は事実よりも「そう思われている世論によって動く」と言っています。ステレオタイプ化したイメージが、ことをゆがめていくということですが、ある意味で理想的な平話条約案であった14か条が、各国の思惑によって破られていったのです。

ウォルター・リップマン

14か条が理想的なものであった理由は、1917年のロシア革命の影響があったからだ、とリップマンははっきり述べています（前掲書、下巻、30ページ）。

当時すでに4年目を迎えていた第一次大戦は、厭戦ムードが瀰漫し、兵隊は戦う意欲を失っていました。どの国も講和の道を見出せないまま、あちらこちらで反政府運動が起こっていました。そこにロシア革命が起こり、連合国はドイツに対して驚くべき〝平和条約〟（ブレスト＝リトフスク条約、1918年）を持ち掛けたのです。これはドイツにとって賠償もない理想主義的な休戦条約だったのです。世界はこうした講和条約を作成せざるを得ない状況になっていました。

ところが既述の通り、この理想が崩壊したことで、交渉についたドイツはある意味でだまされることになったのです。ドイツ革命の結果、「ドイツ帝国」ではなく「ドイツ共和国」が交渉に臨むのですが、フランス、イギリスは、ドイツ共和国に厳しい賠償を要求したのです。ドイツは、アルザス＝ロレーヌだけでなく、ザール、そしてルールなど、どんどん領土を取られました。工業地帯を取られることで、ドイツ経済はその生命線を奪われます。東ではポーランド、チェコの独立によって工業地帯が割譲させられ、結果としてドイツの生産力は急激に落ちます。

## ハイパーインフレを乗り切る

ドイツのこの時代の通貨はライヒスマルクですが、インフレによって数百万マルクの減価などというのはざらで、1923年の11月に終息するまで約3年間、ドイツでは超インフレ状態が続きます。私はそのころの5億マルク紙幣を持っていますが、紙幣の裏面には印刷がありません。あまりのインフレ速度に、印刷が追いつかなかったのかもしれません。

インフレは、今日でもそんなに珍しくありません。フランスのアッシニア紙幣（1789年に革命政府が没収した教会財産を担保にして発行した国債）から始まって、最近ではジンバブエのハイパーインフレ（2000年ごろから始まり、2009年はジンバブエドルの流通が停止）などがありました。その当時のジンバブエの最高額の紙幣はなんと100兆ジンバブエドルです。またユーゴ

ヒャルマル・シャハト

スラビアが解体した後の、セルビアとクロアチアにおけるインフレ時の紙幣も高額で、5000億ディナールでした。1980年代の当地の最高額紙幣は1000ディナールでしたから、いかにインフレが進行したかがわかります。89年、ユーゴスラビアの末期に滞在したとき、このハイパーインフレを実際に体験しましたが、どこの商店でも支払いは、自国通貨のディナールではなくマルクかドルを要求されました。

23年、ドイツではライヒスバンク総裁にヒャルマル・シャハト（1877〜1970）が就任し、「Rentenmark（レンテンマルク）」という土地を担保にした銀行券を発行します。ライヒスバンクは中央銀行として政府から独立しているため、当然ながら、政府の赤字を引き受けることをせず、ライヒスマルクとの交換もせず、強引にインフレを終息させようとしました。

一般にインフレを終息させるためには、デノミネーション（通貨切り換え）を行ないます。基本的に通貨単位を切り下げるのですが、既存の通貨に不利なかたちで制限を掛けながら、新しい通貨と交換させます。90年の東西ドイツの通貨統合の際、東ドイツは、2対1で東ドイツマルクと西ドイツマルクを交換しましたが、人々は一気に東ドイツマルクを捨てました。旧東ドイツの100マルク紙幣には、マルクスの肖像が描かれていました。これはやがて、その全額が東ドイツの山中に捨てられました。詳しくは拙著『カール・マルクス入門』(作品社、2018年)をご覧ください。

敗戦後の日本も、この通貨切り換えで戦後インフレを乗り切りましたが、実際には、農地改革や財産税などの方法を併用しました。

## アメリカ経済の発展

悲惨なドイツから目を転じて、アメリカに進みましょう。

アメリカは16世紀に多くの移民を受け容れ、第一次大戦のころには工業、農業などの分野で世界一の生産国になっていました。19世紀の覇権国家をイギリスだとすれば、20世紀の覇権国家はアメリカということになります。

イタリアの経済学者ジョヴァンニ・アリギ(1937~2009)は、覇権国家の変遷の歴史を描く『長い20世紀』(土佐弘之監訳、作品社、2009年)のなかで、ジェノヴァ→オランダ→イギリス→アメリカと覇権国をたどり、そのメルクマールはそれぞれ工業から金融資本へと産業が変わったことにあり、それによって覇権を握ったと指摘しています。さらに、次を担う産業を制する国が覇権を握るとし、20世紀後半のアメリカが金融にシフトしているのは、「アメリカ衰退の始まり」であると述べています。

1920年代は、アメリカが最も輝いていた時代と言えるかもしれません。それは「摩天楼の時代」と呼ばれ、ニューヨークのマンハッタンは摩天楼（高層ビルディング）ブームに沸きます。狭い土地に高層ビルを建て、利益を上げるという方法は、まさにバブル促進の起爆剤ともなったわけです。クライスラービル（１９３０年）やエンパイヤステートビル（１９３１年）はその象徴であり、あちらこちらで高層ビルの建設ラッシュが起こりました。そして、アメリカの１９５０年代は「独り勝ちの時代」です。ちなみに１８６０～70年代は「金ぴか時代（Gilded Age）」と呼ばれますが、１９２０年代はこれに似ています。

ジェームス・M・バーダマン『アメリカの小学生が学ぶ歴史教科書』（ジャパンブック、村田薫編、２００５年）には、20年代について次のように書かれています。

「１９２０年代は多くの少数民族にとって困難な10年でしたが、拡大する繁栄と技術革新の時代でもありました。多くのアメリカ人は自由に使えるお金が増え、製造業者はそれを当て込んで新しいものを大量に生産するようになったのです。１９２０年代にはたいていの家庭に電気がひかれていました。アメリカ人は生活を快適にする多くのものを享受することができました。電燈や暖房だけでなく、電気掃除機、洗濯機、冷蔵庫といった新しい機器もありました。しかし、この時代にアメリカ人の生活をかえたものは自動車でした」（１７５ページ）

引用文中の「多くの少数民族」というのは、アメリカ国内の日本人などのことを指します。

## アメリカと決裂する日本

20年代のアメリカでは、アジアの人々などに移民制限をしていました。

駐日大使だったフランスの詩人ポール・クローデル（１８６８～１９５５）は、こうした移民制限の法律に触れて、「日本人の子供たちが公立の学校から締め出されました。（略）日本人はアメリカで土地の所有者となることができなくなりました」（『孤独な帝国　日本の一九二〇年代』奈良道子訳、草思社文庫、２０１８年、３２０ページ）と述べています。

クローデルは必ずしも日本人に同情しているのではなく、アメリカがこうした措置をすれば、日本はますますアメリカから離れ中国に接近するだろうと、外交戦略上の危険性について指摘しているのです。そして、これまで日本人が近隣のアジアではなく、欧米に近づこうとしてきたのは、「日本だけがアジアの例外で、自分たちはヨーロッパ人だ」と西欧人に思わせていたからだ、と言うのです。

ポール・クローデル

「これまで日本人は、自分たちの立場は隣のアジア大陸とは違うものであり、自分たちは黄色い肌のヨーロッパ人であると思わせるように奮闘してきました。彼らは、かなりの程度までにそれに成功していたので

す」（前掲書、325ページ）

G7（先進7か国首脳会議）に中国・韓国を入れようというトランプ大統領（当時）の動きがあったのに対し、アジア唯一のG7メンバーたる日本政府は、とりわけ韓国の参加を拒否したといいます。アメリカが日本を味方につけておくには、日本はアジアの例外という日本独特のプライドを、アメリカは傷つけないほうがいいのかもしれません。

20年代の日本は、それまでとは違って、移民法もあって次第にアメリカとの関係を疎遠にして、アジアに介入し、最終的には、アメリカとの戦争に突入していきました。クローデルの予感は的中したとも言えます。

## 破竹の経済

アメリカの破竹の20年代は、T型フォード、摩天楼に象徴されますが、チャールストン、禁酒法、労働組合活動、テーラー的労働管理、ギャツビー（スコット・フィッツジェラルドの小説『グレート・ギャツビー（華麗なるギャツビー）』から）などに彩られた時代です。また第一次大戦で虚無に陥った若者たちは「ロスト・ジェネレーション」と呼ばれます。

日本でも昭和の初め（1920年代）、〝モボ（モダンボーイ）〟〝モガ（モダンガール）〟と称す先端のファッションをまとった若者たちが話題になりました。浮かれた時代、享楽の時代の若者だったのかもしれません。

フレデリック・ルイス・アレン（１８９０～１９５４）の『オンリー・イエスタデイ』（藤久ミネ訳、ちくま文庫、１９９３年）という本は、黄金の20年代とその没落（大恐慌）を描いたものとして、現在も広く読まれています。この書物が書かれたのは１９３１年、まさに十年前の20年代を描いていたのです。あまりにも売れたので、『シンス・イエスタデイ』（藤久ミネ訳、ちくま文庫、１９９８年）という続編も出ました。

20年代のアメリカは、たしかに繁栄の時代でした。第一次大戦に参戦したとはいえ、それは１９１７年からであり、戦争も最後のころであったため、大きな犠牲を払いませんでした。むしろ兵器輸出で巨額の利益を得たのです。イギリスなどに多額の資金を貸し付けたこと、戦勝国として戦後のヨーロッパの復興に手を貸すだけの力があったことからも、それは証明されます。

フレデリック・L・アレン

ウィルソンからハーディング（１８６５～１９２３）、クーリッジ（１８７２～１９３３）、そしてハーバート・フーバーに至る大統領の時代は、比較的穏やかに推移します。とりわけフーバーが大統領に当選する直前までは、人々がアメリカンドリームが達成されたと実感した時代だったと言えるでしょう。20年代のアメリカンドリームの象徴ともいえるのが、大西洋単独無着陸

チャールズ・リンドバーグ

ハーバート・フーバー

飛行のチャールズ・リンドバーグ（1902〜74）ですが、貧しい少年時代から身を起こし、有名大学を出て、大金持ちになり、なおかつ大統領候補にまで昇り詰めたという点では、ハーバート・フーバー（1874〜1964）こそがアメリカンドリームの典型かもしれません。

フーバーは幼くして両親を亡くし、孤児となったのですが、叔父の会社で使い走りをしているときにスタンフォード大学の鉱山学科に入学を許され、オーストラリアで金鉱山を当て、巨万の富をつかみます。

その後、第一次大戦が始まると、生活困窮者を救うために自費で慈善事業を担い、それが認められてハーディング大統領の商務長官になります。そして29年、ちょうど大恐慌の直前についに第31代大統領に就任します。

当然ながら、恐慌の勃発は彼の責任ではないのですが、大統領就任早々に起きたこの問題に忙殺され、結果的にその責任を取るかたちで、次の選挙ではフランクリン・ルーズベルト（1

882～1945）にその座を奪われることになります。今日では、ニューディール政策で建造されたダムにその名を留めています。

## 住宅、自動車の活況

1929年10月の大恐慌が起こるまで、アメリカは繁栄の国でした。

第一次大戦までアメリカの農業は好調で投資が進み、農業生産は高まりました。また第一次大戦で輸出が増え、穀物価格が上昇し、そのためさらに投資が行なわれました。この好循環によって農作業の機械化が進みましたが、逆にそれが土地の荒廃をもたらし、「スペイン風邪」の原因となる土地の無機化を促進することになったのです（スペイン風邪はアメリカのカンザスで発生したウィルスによるとされています）。

18年に戦争が終わると同時に、穀物価格は下がり、天候不順とも相まって、次第にアメリカの農業は不振にあえぐようになります。

他方、アメリカの工業は発展を続けていました。第一次大戦から帰還した若者たちが結婚して家庭を持つようになって人口が増大し、住宅や自動車の高い需要をもたらしました。都市への人口移動も起きました。これが繁栄の20年代の様相です。クレジット払いなど、さまざまな金融の仕組みが整備され、人々は気軽に自動車や住宅・不動産などを購入できるようになったのです。

ニコライ・コンドラティエフ

しかしながら、移民制限なども手伝い、人口増加が停滞し始めると、現在の日本が陥っている問題と同じように、住宅の新築や新車販売などが落ち込みます。こうなってしまうと、買い替え需要だけが頼みの綱になります。

いったん成長の果実を味わった企業は、いっそうの売上と販路拡大に固執し、住宅・不動産は投資用物件として売買されるようになります。折からの金融緩和もあり、怪しげな不動産投機が始まるわけです。

こうしてアメリカの繁栄は、いつの間にかリアルな経済状態とは懸け離れた「擬制の繁栄（バブル）」に移っていきます。その実態が露見してしまうのが、29年の10月24日、「暗黒の木曜日（ブラックサーズディ）」だったのです。

もっとも、ロシア・ソ連の経済学者ニコライ・コンドラティエフ（1892〜1938）の長期波動の景気循環論では、20年代は景気の上昇期ではなく、すでに下降期に入っていたということになります。頂点は20年で、それから第二次大戦まで下がり続け、やがて戦後の上昇が始まり、それが60年代まで続いていきます。

第3章

# アメリカの大恐慌

## ――戦争が救ったクライシス・１９２０年代の栄光とその影

## 闇に光る女性たちの集団

アメリカの1920年代は、繁栄と狂乱の時代であったと言われます。第一次大戦によるヨーロッパの衰退は、覇権国としてのアメリカの地位を不動のものにします。アメリカの家庭には、大型の電気洗濯機、冷蔵庫、電気掃除機、自動車が入り、豊かな中産階級の生活が展開されたと言われていますが、その裏ではどんなことが起こっていたのでしょうか。

本章では、まずその裏の部分を見ていきます。

20年代に大流行したチャールストンを踊る女性の身体からは、光が放射されているという奇妙な噂話が流れます。しかし、これは単なるデマではなく、本当の話でした。

19世紀の後半に放射性元素の研究が進み、放射線の効用が叫ばれ、ラジウムの工業利用が具体化していきます。アメリカとカナダでは、時計の針のメッキにこのラジウムを使うようになります。当時、ラジウムは危険な物質と一般に認められていなかったとしても、科学者はその危険性を知っていました。

ちょうど女性たちが仕事で外へ出る時代の幕開けです。それには、電化製品の登場で家庭での仕事が楽になったり、選挙権を求めて市民運動が高まったりと、さまざまな背景がありました。

時計工場では、多くの若い女性が工員として働いていました。時計のメッキにラジウムを使うため、それを塗る刷毛（はけ）をつねに柔らかくしておかねばならず、女性たちは刷毛をなめながらラジウムを塗りつけていました。それを毎日、何度も繰り返すので、体内にラジウムが溜まっていきます。

工員の女性たちは、仕事を終えて夜になると、気晴らしのために近くのクラブにチャールストンを踊りに行きます。暗いクラブ内で彼女たちが踊っていると、その身体から光が放射されます。

それがこの噂話の真実だったのですが、やがて女性たちの歯が抜け、頭髪が抜けていきます。身体の異変を訴えても、折からの好景気で業績は右肩上がり。会社は、その非を認めません。ついには死者も出るようになります。これはまさに犯罪とも言うべきものです。

訴訟へと発展し、長い裁判の結果、ラジウムが原因だということがわかります。関連する動画がユーチューブ（Radium Girls）にありますので一目瞭然ですが、アメリカの繁栄の裏側では多くの犠牲が払われているということのひとつの証拠です。

## 繁栄するアメリカの裏側

20年代は歴史の大きな転換期だったと言えます。なによりも、アングロサクソンの西洋が、19世紀のように世界の中心ではなくなりつつありました。多くの西洋人にとっては、「西洋の没落」という意識は薄く、日没前の一時の陽の輝きが、やがて来る暗夜の出現を忘れさせていたわけです。20年代にKKK（クー・クラックス・クラン）などの人種差別主義者の団体が大きな力を持つことになった背景には、ウィルソンの14か条で提唱された「民族自立」の理念がアジア・アフリカに対しては無視されたままだったことも大きいでしょう。

しかし、勘の鋭い知識人や芸術家たちはこのような変化を察知し、たとえば貴族のスノビズムを描いたマルセル・プルースト（1871〜1922）の『失われた時を求めて』などの作品が生み出されていました。

マルセル・プルースト

西洋の幻想を覚ました衝撃のひとつが、ロシア革命でした。ロシア革命は社会主義の革命であるとともに、労働者（階級国民と思われていた）に大きな希望の火を灯した革命だったのです。ロシア革命によって生まれた新しい国家は、ウィルソンの14か条の理想を偽善として吹き飛ばすようなインパクトを持っていました。

西洋白人社会は、たんに西洋による支配ではなく、内部にもきめ細かい差別構造がありました。西欧の東欧に対する優位、アングロサクソンのラテンやスラブ系に対する優位、プロテスタントのカトリックに対する優位、ユダヤ人を含めた非西洋人に対する、とりわけ黒人に対する優位、男性の女性に対する優位……。WASP（ワスプ）という言葉に象徴されるホワイト、アングロサクソン、プロテスタントの支配は、貴族の民衆に対する優位のないアメリカで生まれた新たな貴族制度でした。

労働者という〝怪物〟が、その牙城を襲うことを恐れる西洋（日本を含みます）の特権層は、早々にロシア革命への干渉を始めます。さらにハンガリー、バイエルン、ドイツで起こった革命現象に対して、厳しい態度で臨みました。

ロシア革命に影響された労働運動は、各国で勢いを増し、さらに第一次大戦後の動乱期には、ますますその動きが拡大していきます。ゼネラル・ストライキは各国で実施され、最終的には国家権力が介入しました。

アメリカを例にとると、60年代のケネディ（1917～63）、70年代のニクソン（1913～94）の政権に至るまで、司法省捜査局（後の連邦捜査局：FBI）長官の地位にあったジョン・エドガー・フーバー（1895～1972）が徹底的に労働運動、共産主義運動、アナキズム運動を取り締まることになります。

ジョン・エドガー・フーバー

アメリカは経済的および政治的覇権を獲得して以後、西欧への関与を否定したモンロー宣言のかたわら、中南米地域に対して植民地化を強引に推し進め、帝国主義的な相貌を見せ始めます。20年代は、新興国アメリカが宗主国としての覇権を拡大した時期と言えます。

『オリバー・ストーンが語る もうひとつのアメリカ史 1』（大田直子ほか訳、早川書房、2013年）には、雑誌『ネーション』の記事が引用されています。

「わが国の南側には、独立した共和国が20カ国存在する（あるいは存在した）。少なくともそのうち5か国――キューバ、パナマ、ハイチ、サントドミンゴ、ニカラグア――ですでに、良くてもかなりの程度まで虚構にすぎない自治しか行なわれていない。植民地同然の状態になってしまっている。さらに4か国――グアテマラ、ホンジュラス、コスタリカ、ペルー――が、同様の状態に陥りつつあるようだ」（126～127ページ）

中米・南米はいまだにアメリカの束縛から自由になれない状況ですが、もともと19世紀に形式的に独立した地域が、実質的にはアメリカの経済的植民地になっていったのです。これは大資本・大銀行の意図に従った政治的な結果であることは間違いありません。

## サッコとヴァンゼッティ事件

20年代は、マルクス主義的共産主義運動が盛んになった時代であるとともに、別の社会主義運動、アナルコサンジカリズム（労働組合運動を重視する無政府主義）運動も盛んになった時代です。左翼政党が共産党に衣替えした国もありました。逆にアナキズム運動と近づいたり、民主的社会主義運動と近づいたりした国もあったわけです。もっとはっきり言えば、まだマルクス主義が社会主義や共産主義のお株を奪っていなかった時代ということになるかもしれません。

日本においても、大杉栄（おおすぎさかえ）（1885〜1923）はアナキストとして活動を展開します。日本最初の『共産党宣言』もマルキストではなく当時のアナキストによって翻訳されたのです（1904年、幸徳秋水、堺利彦訳）。それもアメリカ経由の英語からの重訳でした。

大杉栄

ジョルジュ・ソレル

イギリスにはギルド社会主義が誕生し、フランス社会党のマルクス主義者はやがて共産党と分裂しますが、プルードン主義者も多くいました。ジョルジュ・ソレル（1847〜1922）が『暴力論』（1908年）を書いて、国家権力の暴力を批判したことからもわかるように、多くの国では労働組合運動と社会主義運動との結びつきのほうが主力だったと言えるかもしれません。

20年4月15日、ボストンの靴工場の会計部長とガードマンが暴漢に襲われ殺された事件は、まさにアメリカにおける社会運動に大きな影響を及ぼしました。すぐに2人のイタリア人移民が逮捕され、死刑判決を受けます。ニコラ・サッコ（1891〜1927）とバルトロメオ・ヴァンゼッティ（1888〜1927）です。2人がアナキストだったということが喧伝されます。これにはアメリカや世界で大きな反対運動が起こり、イタリアではアメリカ大使館が襲撃されるという事件さえ起きていますが、2人は27年8月23日に死刑となります。

サッコ・ヴァンゼッティ事件には、移民に対する嫌悪とアナキズム、社会主義に対する恐怖が込められていたのです。狂乱の好景気時代のなかでも、アメリカは反対分子を厳重に取り締まっていたという点では、1950年代のマッカーシズムを彷彿とさせます。豊かなアメリカと窮屈で不自由なアメリカが併存し、幻想の社会が形成されていたわけです。

サッコ（右）とヴァンゼッティ

## 西洋に残るユダヤ人差別

西洋に残るユダヤ人差別も見逃すことができません。19世紀に力を持ったユダヤ人実業家も、20年代には次第にその力を失っていったとも言われています。ジャック・アタリ（1943〜）の『ユダヤ人、世界と貨幣 一神教と経済の4000年史』（的場昭弘訳、作品社、2015年）では、こう述べられています。

「ハンナ・アーレントは、ユダヤ人が影響と役割を失い、統合され、同化された時期に、反ユダヤ主義が力を増し、ますます脅威になったと書いている」（前掲書、502ページ）

WASPは、労働者階級や移民、黒人などの貧困層における対立を煽り立て、その責任をユダヤ人に転嫁する方法を用いました。こうしたやり口はドイツだけに限られたことではなく、至るところで使われたのです。

アメリカ社会の腐敗の原因はユダヤ人資本家にあるという論議は、明らかに問題の本質をズラしています。それはカリフォルニアで展開されたアジア人移民排斥についても、同様のことが言えます。アジア人移民の急激な増加によってしわ寄せを食った白人労働者、主にアイルランド人が排斥に動いたと言われます。アジア人移民の敵は、WASPのような主流とされるアメリカ人ではなく、移民アイルランド人であったのです。

## 恐慌の理論

アメリカの繁栄を根底から突き崩したのが、1929年の大恐慌（Great Depression/Great Crisis）です。まず恐慌の理論的な側面から考えてみましょう。

マルクスは恐慌について、『資本論』で10年周期説というかたちで言及しています。そもそも恐慌の可能性という点については、売りと買いがバラバラ（無政府的）である以上、つねに

大恐慌初期の取り付け騒ぎ（ニューヨーク、アメリカ連合銀行）

その可能性があると説かれています。

　その点を最初に指摘したのはシスモンディ（1773〜1842）であり、マルサス（1766〜1834）もそれに気づいていました。個々の企業が自由に生産する以上、全体の需要のことを考えていないので、売れ残りが出ます。恐慌は資本主義につきものであるという理屈です。

　しかし、これでは19世紀に周期的に起こっていた恐慌を説明することにならないのです。不況→景気上昇→好況→景気下降→恐慌という循環のメカニズムを知らなければなりません。歴史的に1873年までは、定期的に10年ごとに恐慌が起こっていました。その原因をつかもうとしたのがマルクスです。マルクスは、生産手段の減価償却が10年ごとに必要になることをひとつの基準として考えています。言い換えれば、10年おきに新しい商品が、新しい生産方法によって生産されるということです。

不況においては利子率が低くなり、その分、利潤率が上がり、労賃は下がります。そこで儲かると考える資本家は、労働者を低賃金で雇い入れ、資本を低利で借り、新しい機械を購入する。やがて、売行きがよくなると、利子率が高くなり、利潤率が低下し、労賃が高くなるため、次第に利益が減少します。景気は下降線をたどり、コストを下げるために新しい機械を入れることで競争が激化、淘汰に耐えられない企業は倒産することになります。これが10年という機械の減価償却のスパンとともに進行します。

しかし、もうひとつ、生産財生産部門と消費財生産部門との間の不均衡が国家単位で破綻を来すという議論もあります。要するに生産財の過剰生産が発生するというわけです。これを解消するには、新製品開発と海外市場の開拓、労賃の低下（ひいては生活手段の価格低下）、および原料コストの低下、あるいは国家による有効需要の創出が必要になってきます。

さらに恐慌の原因としては、信用不安があります。信用に関しては、マルクスとしては研究が未完成だったのですが、擬制資本（公社債や株式など）の拡大がバブルとして経済を牽引し、やがて破綻のきっかけとなると説明しています。

それと、「利潤率の傾向的低落」という法則があります。利潤を上げるために投資した労働力や機械が思ったような利潤を生まず、過剰となって利潤率が下がり、次第に経営が先細りになることです。前述のような適切な対応がなされなければ、競争から脱落する企業が増え、一部の大企業による市場の独占化が始まります。これは、10年というスパンではなく、長期的な低落を続けるという問題です。

## バブルとしての戦後経済

こうした理論は、それはそれとして重要ですが、現実にはいつの時代の恐慌も、それぞれの時代の特徴を伴って出現します。1840年代は天候異変と穀物不作が、50年代はアメリカの鉄道投機ブームが、60年代はアメリカの南北戦争が恐慌の契機となります。理論とは別に、このような現実の分析が不可欠なのです。

アメリカの大恐慌は、いわゆる景気循環として10年周期で生じる恐慌ではありません。恐慌が不定期になった理由として、1870年代に進展した自由競争の必然的な結果として、企業の独占・寡占化が進んだということがあります。自由競争では、それぞれの企業が無政府的に生産を行なっていますから、恐慌は弱い企業を倒産させ、市場から退散させる手段となります。しかし、独占が進むようになると、企業はお互いにカルテルを結び、競争を避け、結果的に恐慌が起こりにくくなります。

独占状況においては、価格や賃金などが各企業でおおむね一定のところに収束し、下方硬直的（下がりにくく）になります。銀行といった資本提供先とも同じグループを形成し、少々の過剰生産では経営はびくともしなくなり、さらに恐慌が果たしていた弱い企業の間引きも少なくなっていきます。こうして10年周期説が崩壊し、恐慌が不定期になったのです。

しかしながら、資本主義生産の無政府性という根本的な特徴が変わるわけではなく、需給の過不足は当然生じます。それが恐慌という顕著なかたちとなるのに時間がかかるようになったということです。

アメリカの大恐慌の背景を考えてみましょう。第一次大戦以後、衰退したヨーロッパからアメリカへ大量の資金が流れ込み、自動車や住宅購入のブームを支えました。わずか3万人しかいなかったフロリダの人口が、数年で15万人に膨れ上がったのは、住宅ブームによるものです。自動車産業は工員に高賃金を支払い、分厚い中産階級を育てました。中産階級の膨張は、ニューヨーク近郊のロングアイランドでは農地から住宅地への転換を促しました。

潤沢な資金が企業の株価を押し上げ、企業業績の好調が、さらに株式への資金流入を促進します。典型的なバブルです。これが永遠に続くためには、資金流入が永遠であること、投資先が尽きないこと、投資先企業の売上が伸び続けることが必要です。もちろん海外市場として、第一次大戦で疲弊したヨーロッパの経済復興やアジア・アフリカの経済発展などの需要の増大も重要になります。

法人税が下がり、投資熱が冷めることなく、業績が続伸するならばバブルは膨張し続けます。しかし、住宅ブーム・自動車ブームには限界があり、買い替えも頻繁ではありません。ヨーロッパ経済の復興もうまくいかず、やがて有効需要が不足する状態となります。

経済学者の侘美光彦（たくみみつひこ）（1935〜2004）は、『世界大恐慌』（御茶の水書房、1994年）で、大恐慌の要因として「デフレ・スパイラル」について述べています。これは同著『「大恐慌型」不況』（講談社、1998年）でも説明していることです。

## デフレスパイラルからどう抜け出すか

フランス革命における「バスティーユ襲撃」と同じく、大恐慌を象徴する出来事は「暗黒の木曜日（ブラックサーズディ）」と呼ばれる1929年10月24日のニューヨーク証券取引所の株価大暴落ですが、実際に景気が悪化し、どうしようもなくなるのは、その3年後の1932〜33年からです。31年には一部経済は盛り返しており、32〜33年のどん底を経て、第2波が37年に襲来しますが、最終的には第二次大戦によって大恐慌は解消されたのです。

最初の恐慌はバブルの破裂による連鎖的な破綻であって、数多くの地方銀行が倒産しましたが、実は大企業や大銀行は大して影響を受けていないのです。では、なぜそれが次第に悪化し始めたのか——まさにそれが〝市場独占化〟の問題だったのです。

独占企業の場合、労働者の賃金は相対的に高く、それと同時に労働組合などの影響もあって、企業は簡単には賃金を引き下げられません。当然、製品価格も下げられません。賃金、製品価格ともに、下方硬直化しているわけです。

一般的に企業は、業績が悪化すると、従業員の首切り（レイオフ）や製品の安売りで乗り切ろうとしますが、基本的に大企業ではそういう手法を採りません。なぜなら内部留保金が潤沢にあるなど、競争力が高いからです。

しかし、最終的には賃金をカットし、製品価格を下げ、または馘首（かくしゅ）を行なわざるを得なくなるのですが、当初それが先送りされることで、いわゆる時代の趨勢に合っていないゾンビ的大企業が生き残っていくことになります。こうした悪循環がさらに進むと、デフレ・スパイラルが止まらなくなるのです。

売れないから製品価格を下げる→価格を下げるから収益が減る→収益が減るから賃金が下がる（リストラも伴う）→賃金が下がるから物を買わ（買え）ない（失業者が増える）。こうして螺旋（らせん）階段のように下へ下へと落ちていき、デフレ現象が止まらずに進みます。

1998年当時に見られた日本の物価下落は、まさにこうした「大不況型デフレ・スパイラル」だと侘美は言います。競争力のないゾンビ大企業はこのように延命を図り、恐慌には至りませんが、経済全体としては長期にわたって大不況のまま進んでいきます。

マルクスは、時代に適合した企業が生き残るという意味において、恐慌を積極的に評価しています。しかし、競争力のない企業が倒産しないという状態に陥れば、大恐慌は大不況の長期化スパイラルに変質し、出口戦略がなくなってしまいます。

1933年、ハーバート・フーバーを引き継いだフランクリン・ルーズベルトの課題は、このスパイラルからどのように脱出するかだったのです。

## ケインズ流解決法

マルサスは過少消費が過剰生産を生み出すことで恐慌が起こると考えていましたが、まさにここに目をつけたのがケインズです。

過剰生産恐慌は過少消費がもたらすものですが、もちろん両者は異なる概念です。つくりすぎ（過剰生産）と、買わなすぎ（過少消費）は明確に違います。

企業としては、ものが売れることが重要です。そこで政府は、この足りない消費を有効需要を興すことでサポートします。直接的には公共事業によって、需要を創出するのです。あるいは金融政策として、金利を下げたり、銀行が保有する国債を買ったりして、市中に資金を回し、設備投資の手助けをします。その場合、正貨としての金を増やすことは、採掘の問題もあって簡単ではありません。また金はそれ自体に価値があるので、使わないで蓄蔵してしまう傾向があります。そこで、紙幣である信用貨幣を刷って、景気を促進することになります。

フーバーは、基本的にはいわゆるアメリカの〝良き伝統〟を守りました。つまり、安価な連邦政府（小さい政府）という概念で、地方政府に多くを任せました。しかしルーズベルトは、ここに大胆な改革のメスを入れたのです。その実例は、ドイツのヒトラー政権にありました。国家がアウトバーン（高速道路）などの公共事業を展開し、失業者を徹底的に減らす。そのことによって生産を拡大し、消費を増やします。これがニューディール政策の手本となりました。

TVAの公共事業に携わる労働者

アメリカは、それまで中央国家が中心にあったのではなく、州の自治を大切にした合州国でした。経済統制を進めるために、アメリカとしての国民国家＝合衆国に転換する必要がありました。フーバーは大統領に当選後、矢継ぎ早に法律を通し、国家が国家事業を自由にやれるようにしました。

これは「国家総動員」体制と呼ばれるものですが、そもそも戦時に採られる政策です。戦争に勝利するために、国家が税金や国債を使って、雇用を促進します。企業は公共事業によって救済されます。だから、戦時経済体制としての国家総動員が、恐慌から抜け出す最も有効な方法であり、アメリカはそれを「ニューディール」という標語を使って実施したわけです。

ニューディールとは「巻き返し」「新しい賭け」という意味で、具体的には産業促進（ＮＩＲＡ）、農業促進（ＡＡＡ）、テネシー川流域開発公社（ＴＶＡ）による河川流域開発などの大規模事業を展開しました。まずは労働者の失業と不安の解消が重要であり、そのためには金融上の「信用」の確立が必須です。

## ルーズベルトのラジオ放送

ルーズベルトは「炉辺談話」と称してラジオ放送を行ない、国民に直接訴え掛けました。その最初が信用不安の解消です。「銀行は潰れません」「企業も潰れません」「仕事はつくります」「給与は遅滞なく支払われます」「心配しないでください」というメッセージです。これは民衆の動揺を抑える心理作戦です。

ケインズは『雇用、利子および貨幣の一般理論』（1936年、間宮陽介訳、岩波文庫、2008年）のなかで、「消費性向（所得に対する消費の割合）」という概念を用いて、これを人間の心理の問題として分析します。消費性向においては、お金を持っているかどうかよりも、買いたい気になるかどうかが大事だと説いています。消費性向を高めるためには、今（その時点）、買ったほうが得だと思わせることが重要です。スーパーマーケットなどでの消費税増税直前の駆け込み需要（増売）には、まさにそういう消費者心理がよく現れています。

またインフレーション時のお金も、財布の中や銀行預金（流動性資金）で持っているよりも、使って物に換えたほうが得だと思うから、財布の紐が緩むのです。

現在（2023年5月）、日本の経済状況は、燃料、食品などの物価はインフレ傾向にありますが、この十数年はデフレで推移してきました。すなわち、賃金が上がらず、将来が心配だから、お金を使わない。だから企業業績はより悪くなる。するとまた賃金が上がらない。これは将来に対するユーフォリア（「陶酔的熱狂」を意味し、経済的には設備投資や資産投機が盛り上がる状態。物価上昇率と失業率がともに低下する）的展望を国民に与えるような政策がなされていないことに問題があります。

ルーズベルトは、大衆にやる気を起こさせる心理作戦と、国家による大量支援で大恐慌の難局を乗り切ったかに見えたのですが、すでに記したように１９３７年に第２波が襲ってきました。

最終的に本物の総力戦、すなわちリアルな戦争（第二次大戦）というかたちでしか、大恐慌は乗り越えることができなかったというのが、今では大多数の専門家の一致するところです。

アメリカの経済学者ミルトン・フリードマン（１９１２～２００６）は大恐慌の克服について、１９６３年の共著（*A Monetary History of the United States,1867-1960*. Princeton University Press）において、大恐慌の克服は国家事業よりも金融緩和作戦、イージーマネーによってなされたと主張しています。それは「ヘリコプターでおカネを撒く」作戦として知られています。しかしながら、事態は国家主義に動くしかなかったとも言えます。

なぜなら、アメリカとドイツ、イギリス、フランスなどが共同歩調政策を採らなかったからです。それぞ

ミルトン・フリードマン

れの国が自国主義を貫けば、足並みが乱れるのは当然です。これは、いわゆる「ブロック経済圏」の弊害ですが、列強は宗主国と植民地というかたちで自給自足の経済体制をつくり上げ、難局を乗り切ろうとしたのです。

日本の「大東亜共栄圏」もそのひとつですが、アメリカは、アジアに持つ自国の権益を日本に譲り渡すことはありませんでした。

# 第4章

# ソ連の発展

## ——現実主義と理想主義の相克

「虚偽――たとえ沈黙のそれであっても――や、虚偽に固執することは、ときには都合よく見えるかもしれない。がしかし、それは敵の攻撃に対して絶好の機会を与えるものである。それに反して、真理は、たとえ痛々しいものであっても、癒すためにしか傷つけないものである」(アンドレ・ジッド『ソヴェト旅行記』1936年、小松清訳、新潮文庫、1969年、17ページ)

## 希望のロシア・ソ連

第一次大戦は古いヨーロッパ世界の衰退を加速させました。しかし、新しいヨーロッパが躍動し始める時代をつくり上げたことも確かです。アメリカとソ連、この相対する2つの力は、20世紀を決定づける新しい世界の創造に挑戦したのです。

繁栄するアメリカが1920年代を象徴したとすれば、一方、ソ連はこれまでの世界とはまったく異なった〝希望の世界〟の象徴でした。アメリカ的民主主義、言い換えれば資本主義経済による個人主義を中心とした世界に対し、社会主義経済による社会集団主義を中心とした世界、自由に対する平等を掲げた世界でした。この2つの世界は、西洋の〝希望の星〟として登場しました。

双方は、のちに東西両陣営に分かれて対立しますが、フランス革命の理念である「自由」と「平等」のうちどちらに比重を置くかによって、2つの対立する思想グループを形成します。

それぞれのグループは、相手を厳しく批判し、相手の崩壊を願うようになります。両陣営の対立は、20世紀世界史の大きな軸であったことは間違いありません。

その対立は、いまだに決着がついたわけではありません。２つのイデオロギーは、人類の理想像として存在している点で、いずれも一種の〝ユートピア〟なのです。一方は、社会主義として平等な社会を理想像とし、他方は資本主義を通して自由と民主主義を広めたいとする意思を保持しています。

Ｅ・Ｈ・カーは戦間期をテーマとした著書『危機の二十年』（１９３９年、原彬久訳、岩波文庫、２０１１年）で、不戦条約などの第一次大戦後の理想主義を、ソ連のマルクス主義をも含むユートピア主義のひとつとして描いています。このユートピア主義に対抗するのが現実主義であり、その２つの攻防こそ、この時代を象徴する出来事だったというのです。

ソ連の20年代は、まさにこの理想としてのマルクス主義と、現実としてのロシア（ネップ政策）が戦った時代と言えます。それはある意味、第二次大戦に至る世界の状況を映しています。もちろん、こうした捉え方も歴史の一側面を見ているにすぎず、現実には宗教、権力闘争、民族闘争、経済問題などが深く関係する複雑な過程だったのです。

## 革命の挫折と変遷

２０１９年の夏、私は所用でメキシコに行きました。短い滞在でしたが、この機会に、以前から一度訪ねたいと思っていたメキシコシティーにあるトロツキーの家に行ってみました。メキシコシティーのコヨアカンにあるトロツキーの家は、現在、博物館になっていて、そこに彼の墓もあります。

シケイロス（左）と北川民次

この家は、リチャード・バートン（1925〜84）がトロツキー、アラン・ドロン（1935〜）がその暗殺者のソ連人スパイを演じた映画『暗殺者のメロディー』（ジョゼフ・ロージー監督・1972年）で有名になりました。1940年8月20日、トロツキーはこの家の中でスターリンの刺客の手で暗殺されたのです。

屋敷は壁で囲まれていて一種の要塞と形容してもよいたたずまいです。中庭が広く、建物の上には見張り台があり、常時見張りが銃を持って監視していたというのですが、すでにその年の5月、有名な画家ダヴィッド・アルファロ・シケイロス（1896〜1974）を含む一味は、トロツキー暗殺を企て、失敗していました。

トロツキーはレーニンの死後、ボリシェヴィキの党内闘争に敗れ、国家の反逆者としてカザフスタンのアルマータに一時追放になり、やがてメキシコに亡命しました。トロツキーに対しては、世界の両陣営から注目が集まっていました。

レオン・トロツキー

まずソ連からは「レーニン主義の逸脱者」「マルクス主義の逸脱者」と見られ、アメリカやヨーロッパでは「ソ連社会主義の批判者」、そして「新しいマルクス主義の指導者」として知られていました。メキシコでも彼はとても有名で、訪問客もひっきりなしだったのです。

ニコラス・モズレー（1923～2017）の著書『暗殺者のメロディ（トロツキーを殺した男）』（若林健訳、鷹書房、1972年）には、詳しい殺害のいきさつが書かれています。トロツキーは、女性秘書の恋人だった男ラモン・メルカデル（スパイとしての偽名はジャック・モルナール）にピッケルで頭を殴打され、6センチの傷を負って死亡しました。即死ではなく、翌日に亡くなったということです。要塞のような鉄壁の守りは、あまり意味がなかったわけです。

もっとも、スターリンが暗殺したという説にも、疑問がないわけではありません。しかし問題は、スターリンならやりかねないというソ連の党派闘争のすさまじさなのです。

## 作家ジッドの見つめたもの

1936年、フランスの作家アンドレ・ジッド（1869～1951）は、ソ連の作家・劇作家マクシム・ゴーリキー（1868～1936）の葬儀に参列しています。この訪問では、ソ連

アンドレ・ジッド　マクシム・ゴーリキー

国内をいろいろと案内されますが、その記録として書いたのが『ソヴェト旅行記』（前出）です。私はこの本（新潮文庫）を69年に読みました。ソ連を信奉していた17歳の私には、たまらなく不愉快な本でしたが、今読み返してみて、あらためてこの本の意味を噛みしめることができました。

彼はトロツキズムについてこう述べています。

「ソヴェトには、まだもう一つの恐怖がある。それは向こうで、《反革命の精神》と呼ばれている《トロツキズム》に対する恐怖である。なぜならある一部のものは、さっき言ったような譲歩を必要となすことを拒絶するからである。また、これらすべての順応をもって敗北と考えるからである。もちろん、最初の方針からの逸脱は、さまざまな説明や弁解を見出すことであろう。それは考えられる。だが、それらのある種の人々の眼には、この逸脱の事実が最も重大なものと映るのである。しかるに、今日、ソヴェトで強要されているものは、服従の精神であり、順応主義である。したがって現在の情勢に満足の意を表しないものは、みなトロツキストと見なされるのである。われわれはこんなことを想像してみる。たとえレーニンでも、今日ソヴェトに生きかえってきたら、どんなにとり扱われるか」（前掲書、68ページ）

すでに革命が終わり、「5か年計画」とスターリンの支配が確立していた時代にソ連を訪問したジッドは、ソ連社会がいかに社会主義の理想像と懸け離れているかを糾弾しているのです。当時のフランス共産党は、ソ連の敵は「トロツキスト」と呼ばれるというわけです。当時のフランス共産党は、ソ連を〝夢の社会〟と理想化していました。

思い返せば、1970年当時の日本は、いまだ学生運動が華やかなりしころで、とりわけ反ベトナム戦争という点で、ソ連に対する一種の幻想がまだ残っていた時代でもありました。70年4月は連合赤軍の「日本航空よど号乗っ取り事件」が世間を騒がせていました。

いずれにしても、忘れてはならないのは、抑圧された世界に未来はないということであって、それはその後のソ連・東欧の崩壊を見てもわかります。

シモーヌ・ヴェイユ

同時期に読んだシモーヌ・ヴェイユ（1909〜43）の『自由と社会的抑圧』には、次のように書かれています。

「じつをいうと、社会主義がすべての工業国に樹立された暁には、あらゆる種類の権力闘争が消滅するだろうことを、マルクスはたしかに推測したけれども証明はしていない。唯一の不幸は、マルクス自身も認めていたように、革命がすべての国で同時に成就しえないことだ。たとえある国で成就したとしても、革命は自国の労働者大衆を搾取し抑圧する必要を消滅させるどころか、自国が他国よりも弱体であることを怖れるがゆえに、むしろ以前にもまして強化する。このことをロシア革命の歴史が痛ましくも例証した」(1934年、冨原眞弓訳、岩波文庫、2005年、14〜15ページ)

トロツキズムでは、まさに「世界革命」が重要な概念になるのですが、世界同時革命が起きなければ社会主義国は成り立たないとすれば、ロシア革命は失敗した革命ということになります。

## 現実主義と理想主義の相克──1920年代のソ連

革命後のロシア(ソ連)は、理論よりも現実に引きずられる歴史であったと言えます。遅れた国で起こった革命、世界戦争の疲弊のなかで起こった革命、先進国に包囲された革命、飢えたなかでの革命。革命が現実化するためには、悲惨な環境が不可欠であるとすれば、ロシア革命にはそのすべてがそろっていたとも言えます。すぐに戦時共産主義、そしてネップへと移っていくなかで、ボリシェヴィキの中身も、マルクスが予見した社会を実現するという希望も、少しずつ変容していきます。

前述のように、ユートピアと現実主義の抗争が、まさにその後のロシアを形成します。その問題を解決するには、国内経済を立て直すことが必須の条件となってきました。党の幹部たちはこの問題に挑み、それが毎年の党大会のテーマになり、やがて大きく3つの派閥、左派、中央派、右派に分かれます。経済的闘争という側面と同時に、政治闘争の側面を持ち、そして文化闘争、民族闘争も絡み、壮絶な非難の応酬が始まります。

全3巻の『トロツキー伝』を書いたアイザック・ドイッチャー（1907〜67）は、その第2巻『武力なき予言者』（田中西二郎ほか訳、第1巻『武装せる予言者』、第3巻『追放された予言者』、新潮社、1964年）のなかで、この闘争の経過を細かく分析しています。トロツキーはボルシェヴィキの変容に気づいていたと述べています。その変容とは、革命後、新たな党員の増大によって古参党員の比率が下がり、新党員は官僚的で出世主義者が多く、もの言わぬ党員が多数を占め、革命的討論が減り、党は次第に官僚化していったというのです。プロレタリア独裁ではなく、党＝官僚支配へと進んでいったのです。

『旧約聖書』の「出エジプト記」「レビ記」の記述が思い出されます。あのモーセの話です。モーセをレーニンやトロツキーだとしましょう。神はモーセに「君は新しい世界には行けない」と宣告します。つまり、新しい社会はすでに革命家の手を離れていて、革命家は新しい社会には入れない。それはまさに理想と現実の乖離（かいり）です。革命家が革命後にも居座ると、過去の利権を復活させる恐れがあるということです。そこで世代の交代が図られます。

トロツキーはスターリン派、すなわち中央派に追い詰められるなかで、『新路線』（1923年）を書いて、次のように官僚主義の打破を主張します。

「官僚主義は、地方のある種の組織が持つ偶然の特徴ではなく、一般的現象である。それは、地方から、地方組織を媒介することで中央組織にやってきたものではない。むしろ中央組織から地方組織を媒介することでもたらされたものだ。それは戦争の時代の残存物ではない。それはここ最近蓄積された管理の方法が、党に持ち込まれた結果である。——党は、過去の蓄積のなかだけで生きられない。過去は現在を用意するだけのものである。必要なことは、未来を用意するために、現在が過去の高みにイデオロギー的にも、実践的にも登ることだ。現在の課題は、活動の中心を下部へと移動させることだ」（*Cours nouveau*,1923,pp.10-12）。

トロツキーは、レーニンが生存していたときにこの文章を書いていました。レーニンは１９２４年の1月、ちょうどネップが終わる時期に亡くなります。

レーニンが亡くなったことでトロツキーの立場は弱くなるのですが、ここで出てくるのが、レーニンはスターリンを支持していたのか、そうではなかったのかという問題です。モッシェ・レヴィンの『レーニン最後の闘争』（河合秀和訳、岩波書店、１９６９年）は、この問題をロベスピエールの時代に比較して巧みに描いています。

レーニンの遺書の公開をめぐって、妻ナデジダ・クルプスカヤ（１８６９〜１９３９）とスターリンの確執があります（前掲書、第五章）。トロツキーはレーニンの死の際、療養中のため葬式に参加できませんでした。トロツキーとレーニンの関係は、理論的な問題に関わります。２人の理論が同じであったのか、そうでないのか。そうでないとすれば、トロツキーの失脚は当然だということになります。

ソ連崩壊の後、ソ連社会主義の失敗をスターリンに帰す意見が多いですが、スターリン主義とレーニン主義は別物です。もっと言えば、革命は、１９１７～24年（レーニンの没年）まで、２度目は24～53年（スターリンの没年）という２つに分かれるという考え方があります。前者がレーニンの革命の時代、後者がスターリンの革命の時代です。

最初の革命は、第一次大戦の戦時下でもあり、失敗につながるさまざまな要因が生じるため、レーニンはそれらを克服すべく状況に合わせて柔軟に方針を変えていきました。トロツキーはその点が弱かったともいえるでしょう。

政治家としては現実主義的なスターリンのほうが、レーニンに近かったのかもしれません。スターリンは17年の革命では目立ちませんでしたが、２度目の革命で頭角を現してきました。

Ｅ・Ｈ・カーの膨大なソ連史の仕事は、現実主義をしっかりととらえ、スターリンの果たした革命的役割を評価しています。それに対し、『トロツキー伝』を書いたドイッチャーは、カーの分析の甘さを批判しています。

しかし、革命を継続させるためには、現実主義

クルプスカヤ（左）とレーニン

で行くべきか、理想をあくまで突き進むべきかというのは、避けて通れない議論です。

レヴィンのロベスピエールの時代との比較にならえば、トロツキーはフランス革命でいえば、ダントン（1759〜94）にたとえられます。あるいはエベール（1757〜94）かもしれません。ロベスピエール（1758〜94）に2人とも殺されてしまうのですが、革命闘争のなかで現実主義的路線に翻弄されていく人物たちです。

H・カレール＝ダンコース

フランスのソ連研究者エレーヌ・カレール＝ダンコース（1929〜2023）は『ソ連邦の歴史』（1979年、新評論、1985年）全2巻を著わし、I巻は『レーニン―革命と権力』（石崎晴美訳）、II巻は『スターリン―秩序と恐怖』（志賀亮一訳）と命名して、ロシア革命は2つに分かれるという説を主張しています。

これにはトロツキーが述べたように、党員数の変化の影響があります。カレール＝ダンコースが示した資料によると、1917年に2万4000人だった党員が、24年には47万2000人、25年には80万人、29年には153万人になったということです（II巻、10ページ）。圧倒的に男性が多く、86％が40代以下だったのです。要するに、この急激な変化のうちにソ連社会は生まれ変わったのです。革命後に、以前とはまったく異質の人間が出現したといえます。

ヨシフ・スターリン

新しい党員に支持されたヨシフ・スターリン（1878〜1953）は、旧来の幹部党員をどんどん粛清していき、一方で28年から「5か年計画」を始めます。これはきわめてラジカルな改革で、その特徴は次の3つにまとめられます。

第1は集団化（コルホーズ）で、社会のあらゆる層が変質を迫られます。第2は政治体制の変化、第3はスターリンが独裁制を布いたことです。国民公会でのロベスピエールの支配とよく似ています。

## 工業か農業か――熾烈な理論闘争

粛清によるスターリンの党内統制は、経済路線をめぐる2派の対立が帰結したものです。最初、経済問題はきわめて理論的な問題でした。

私は学生のころ、この時代の経済論争をかなり勉強したのですが、トロツキーだけでなく、ニコライ・ブハーリン（1888〜1938）、エフゲニ・プレオブラジェンスキー（1886〜1937）などは、たいへん優れた理論家で、政治家であるよりも学者的な議論をしています。

プレオブラジェンスキーは、トロツキーの理論的な背景となる工業化政策を推進した人物です。資本主義後の経済を社会工学の視点で考え、資本主義を超えた未来の姿を『新しい経済

ニコライ・ブハーリン

プレオブラジェンスキー

ソビエト経済に関する理論的分析の試み』（1926年、救仁郷繁訳、現代思潮新社、2008年）という書物に著わします。それはブハーリンの『過渡期経済論　転形過程の一般理論』（1920年、救仁郷繁訳、『ブハーリン著作選1』、現代思潮新社、2008年）と並ぶこの時代の優れた文献のひとつです。

　プレオブラジェンスキーの周りには、ゲオルギー・ピャタコフ（1890～1937）、イヴァン・スミルノフ（1881～1936）などが集まり、ソ連に必要なものは工業化であり、工業化のために農業から収奪することを主張します。

　社会主義の発展のためには労働者の支持が必要だと考えていたトロツキーにとって、工業化の進展が重要で、農民を農村から追い出して労働者にする政策が、工業化によって実現されると考えていました。工業製品を高く売り、農産物を安く買い、農業クラーク（自営農家）である富農を撲滅するという戦略でした。

　一方、ブハーリンはある意味、まっとうな議論を展開していきます。資本主義経済学をしっかりと学んでいた彼は、マルクスの「本源的蓄積」という問題をまず考えます。資本主義では本源的蓄積には長い時間がかかります。工業を発展させるための資本蓄積には、ゆっくりとした農業の発展とそれに続く軽工業および重工業の発展が必要であるということは、イギリスなどの先進国経済を考えると当たり前のことです。

ましてロシアは農業国であり、農民の支持が重要です。農民を危機に陥れ、彼らから政権批判が生まれると、クロンシュタットの反乱（1921年3月にペトログラード西方の軍港都市クロンシュタットで起こった水兵による反政府蜂起。言論・集会の自由、経済統制の排除などを要求）の二の舞になる。「労農同盟」という思想を掲げ、農民層の支持を取りつけるのは、ある意味正しいわけです。ブハーリンには、グリゴリー・ソコリニコフ（1888～1939）などの支持者がつき、トロツキー・グループとやり合います。

グリゴリー・ソコリニコフ

スターリンは中央にいて、こうしたアカデミックな議論を様子見していました。経済理論という点では、たしかに理屈の議論ですが、現実に都市と農村の対立、労働者と農民の対立、中央と地方の対立などの厳しい問題が横たわっていました。

下斗米伸夫（1948～）は『ソビエト連邦史 1917-1991』（講談社学術文庫、2017年）で興味深い見解を示しています。「古儀式派」という正教会の保守派思想の流れとして、ロシア革命とスターリン政権を支えている「モスクワは第3のローマ」という発想があるというのです。正教会の内部に、ロシア的なるものを守る古儀式派という集団があり、それがスターリンを支える中核を担ったという説です。まさに中央派というグループの精神構造には、それがあったということになります。

もちろんソ連では、宗教は表立っては批判されました。廣岡正久（1940〜）は『ソヴィエト政治と宗教 呪縛された社会主義』（未來社、1988年）で、宗教弾圧のなかでも生きている宗教性という問題に言及しています。

これは思想の重要な問題です。マルクスたちヘーゲル左派は、1840年代のプロイセンのプロテスタントを盛んに批判しますが、プロテスタントは教会権力であるより、国家権力でした。その意味で宗教批判はやりやすく、教会という組織の問題はなおざりにされました。

ところが、マルクスはフランスに移って、カトリックの教会権力の厳しさに気づきます。教会は第2国家であり、しかも国家以上の国家であったのです。同じことはロシアにも該当します。ロシアの正教会は、それ自体が民衆や民族のなかに根差す権力です。

だからロシアには、マルクス主義を神に代わり得るものとする「建神論」という考えが出てきます。マルクス主義は、神に代わって人間がつくった新しい神だという発想です。これが意外に支持されるのは、宗教という土着性に関わるからです。宗教抜きに生きられない世界では、

ヴャチェスラフ・モロトフ

新しい思想をも宗教に結びつけるしかないということです。しかし廣岡は、レーニンは徹底して無神論を貫いたというのですが、党の内部にはそうした人ばかりではなく、ヴャチェスラフ・モロトフ（1890〜1986）などのグループは、宗教的意識が強かったということです。まさにそのグループとスターリンは組みました。

## 1928年以後のスターリン体制

はっきり言えば、スターリンは巧妙なやり方を心得ていました。様子眺めをし、敵対する者同士が戦い合って疲れ果てたところで、まず初めに強いほうを消し、次に弱いほうを消す。前者がトロツキーで、後者がブハーリンです。ロベスピエールが左のエベール、右のダントンを消したやり方とそっくりです。

ジッドはスターリンという人物を評して、実にうまい言い回しをしています。

「今日、ソヴェトで《反対派》と呼ばれているものは、自由なる批判と自由の持ち主にほかならない。スターリンは同意者しか受けつけない。彼に喝さいをおくらないものを、すべて敵として見る。彼は、しばしば、他人の提出した改革意見を、あとになって自分のものにすることがある。すっかり自分のものにするためには、まず提案した人間をなくしてしまう。これが彼の理屈を通す常套手段である。だから、やがて彼の周囲には、彼に害を及ぼさない連中しかいなくなる。害を及ぼさない連中とは、まるっきり意見といったものを持たない人間たちである。己の身辺に有能の士をおかず、おもねる者のみをおく、これは専制主義の神髄なのである」（ジッド前掲書、175ページ）

スターリンは、まずトロツキーの工業化政策を農民への裏切り、レーニン主義への裏切りだと非難し、追放して、次にブハーリンの「労農同盟」をクラーク擁護だと批判、追放して、結局トロツキーの工業化政策を採ることになります。まさにこれが1928年から始まるスターリンによる「5か年計画」です。

渓内謙（たにうちゆずる）（1923〜2004）によれば、スターリンの「5か年計画」は次の3つにまとめることができます。①重工業への重点投資を基軸とする急テンポの工業化、②集団化による小農経済の変革、③反対派ブハーリン派の排除による政治の独占（『スターリン政治体制の成立 第一部 農村における危機』岩波書店、1970年、7ページ）です。

これは、③を除けばトロツキーの政策に近いのですが、トロツキーは〝トロツキズム〟として批判されているので、奇妙な話です。もちろん独裁を布き、周囲にお追従者を集めるという点では、スターリンはトロツキーとはまったく違いますが、経済政策としては似ています。しかし、集団化をやりすぎて大量の死者を出し、ソ連の汚点として後世に残ります。

一方で、これは現実路線でもありました。国を守るために海外とは遮断し、国内に敵をつくり出し、そこから搾取しました。敵とはカザフスタン、アルメニア、アゼルバイジャンという非ロシア圏です。ブハーリンのように海外からの技術移転や援助を期待するという方法もあったわけですが、それを採らずに一国で成し遂げようとした無理が出たといえます。

大粛清へと進んだ党内統制では、先にも触れたようにトロツキーをメキシコまで追い、ゲー・ペー・ウー（国家政治保安部）に殺害させたのはその一例で、国内において多くの優れた人物が続々と処刑されていきました。

トロツキーは『裏切られた革命』（１９３６年、藤井一行訳、岩波文庫、１９９２年）を書いていますが、希望のロシアがなぜここまで堕ちたのか？　これはスターリンの問題なのか？　それとももロシアそのものの問題なのか？　いや、さかのぼってマルクスの問題なのか？　もっといえば、ある種のイデオロギーが必然的に陥る問題なのか？

ロベスピエールの時代を描いたアナトール・フランス（１８４４〜１９２４）の『神々は渇く』（１９１２年、大塚幸男訳、岩波文庫、１９７７年）ではないですが、これはいまだに我々に投げかけられている大きな問題です。

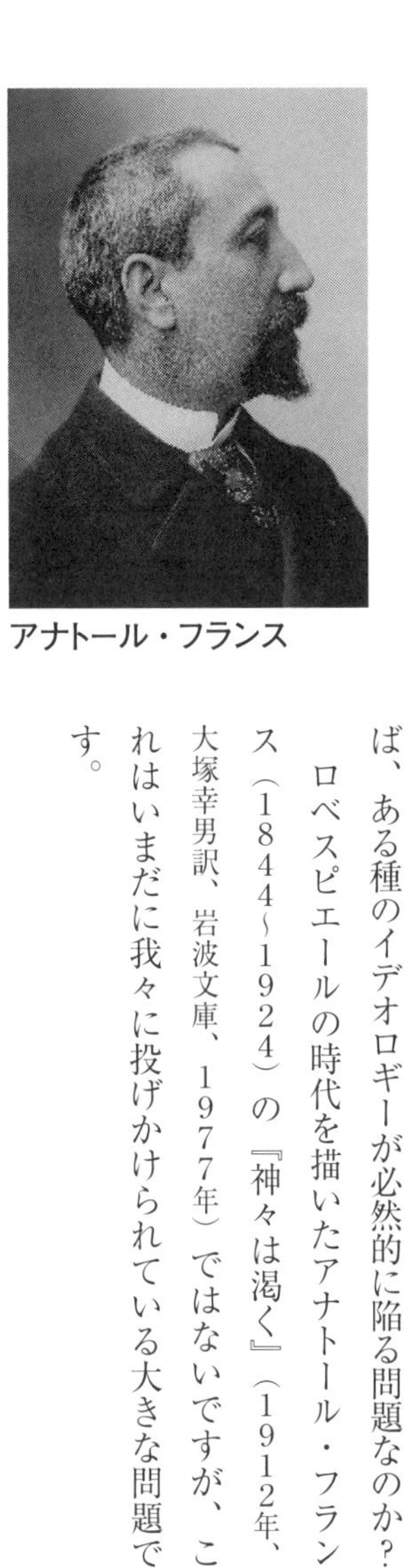
アナトール・フランス

第5章

# ナショナリズムと国家の形成

## ――大衆の向かう先

「祖国を知ることは、あらゆる真の市民教育の基礎である。我が子供たちが、国のことを十分知らないということが、いつも非難されている。もしもっとよく知っていれば、第一に国家を愛し、国家によりよく仕えることができるだろうと言われるのも、もっともである。しかし我が教師たちは、子供に祖国の、その単なる領域や能力ですら、本当のイメージを与えるのがいかに困難であるかを知っている。（中略）このために、我々は二人の子供たちの旅の物語として興味を利用することにした。（中略）こうしてフランスというイデアの周りに道徳的、市民的知識をすべて織り込むことで、我々は子供たちに、最も気高い特徴のもとにある祖国を示し、子供たちに対して、フランスは名誉、労働、義務と正義に対する基本的な尊敬によって偉大なのだということを、示したかったのである」（G.Bruno, *Le Tour de la France par deux enfants*.Paris,1877　序文）

「過去一二〇年間のヨーロッパとは、国民を、新しい国民を、維持し、生みだし、生かす、不断の営みであった。（中略）国民（ナシオン）という観念は何よりもまず国民形成（ナショナリテ）という観念であり、ナショナリズムという観念なのだ。国民観念に備わっているのは、何よりも否定的な内容なのである。しばしそれは外国に対する反抗であるのだから。自分以外のすべての人々に対してもつ憎悪、その人々が自分たちを抑圧しているわけでないときでさえいだく憎悪であるのだから」（マルセル・モース『国民論』1953～54年、森山工編訳、岩波文庫、2018年、100～101ページ）

## 希望の喪失とナショナリズムの台頭

アメリカの経済的豊かさとロシアの革命は当時の人々にとって、ひとつの夢であったと前に述べました。その夢が潰(つい)えたとき、新たに力を持ってきたのは民族主義、ナショナリズムでした。

『イデオロギーの終焉』（１９６０年）のなかで、ダニエル・ベル（１９１９～２０１１）は次のように述べています。これは言い得て妙です。

「社会主義はひとつの限りなき夢であった。（略）アメリカもまた、一つの限りなき夢であった」（岡田直之訳、東京創元社、１９６９年、93ページ）

ナショナリズムと、その結実である国民国家は、比較的新しい概念です。それはつい数世紀前にイギリス、そしてフランスで生まれた特殊な概念でした。生まれた場所と氏素性によって境界をつくり、言語を規定し、それに該当する者を国民とするという考えは、カトリックの地域や帝国などでは生まれるはずもありません。まずは国王のもとに、臣民としてまとまり、その臣民が国王を倒して、国民となる必要があります。

ロシア革命が階級闘争の結果であり、国家をまたいだ階級分化が生み出したものだとすれば、それは国境を越えて広がり、労働者の活動によって世界を統一しようとするのは不思議なことではありません。だからこそ、これに対して、ヨーロッパは畏怖を抱いたのです。一方、アメリカは移民や多民族によって成り立つ帝国の一種であり、ある意味で国民国家という概念の外にありました。アメリカは資本主義という制度によって、民族や国家を超えたアメリカ的自由主義を打ち立てようとします。これも一方でヨーロッパ世界にとっては脅威でした。このことが、ヨーロッパに民族主義、あるいはナショナリズム、国民国家主義を蔓延させていくことになります。

労働運動や国境をまたぐ資本主義の発展、すなわちこの2つのインターナショナリズムに対する反動が、民族主義として出現します。アメリカとロシアの2つの実験の失敗（前者は大恐慌、後者は一国社会主義）は、その不安の反映としてヨーロッパに民族主義的な反動を生み出したのです。

そのことで、ヴェルサイユ条約によって生まれた国際連盟や国際条約の順守が危うくなります。それが1930年代に起きたことです。

こうした民族主義の中心に躍り出るのが、大衆（Masses）という存在です。大衆の出現と大衆による社会の変容が、普遍主義の理想論を吹き飛ばし、愛国主義と民族主義への道を開くのですが、まず重要なことは、第一次大戦とともに起こった大衆化という問題です。

その大衆が、やがて国家の基礎をなすことで、民族主義が拡大し、ナショナリズムが形成され、国民、愛国、祖国という概念を生み出していく。一方でウィルソンの14か条で問題となった民族自決権が、世界中に民族独立運動を引き起こし、これは20世紀最大の問題となります。

20世紀を支配したのは、社会主義でも、コスモポリタンな世界でもなく、理想を追う知識階級が生み出したユートピアでもなく、全体として見るときわめて現実主義的な民族自決権、民族独立運動であったわけです。知識人のユートピアが崩壊し、現実主義が台頭してくるのは30年代です。

## 教育で「国史」を教える

本章の冒頭に引いた文章は、普仏戦争（１８７０年）のあと、フランスで愛国主義が高まった時代に書かれた子供向けの『フランス巡歴』の序文です。子供たちに愛国主義を植えつけることを目標として書かれた本で、フランス国中を２人の少年が旅することで、フランスの本来の国境がどこまでであるか、フランスの文化や言語がいかに昔から存在していたのかを学んでいく、というストーリーになっています。２人の少年の旅は、プロイセンに割譲されたアルザス＝ロレーヌから始まります。故郷を追われて少年の旅が始まるということで、アルザス＝ロレーヌをドイツに取られたという意識を少年読者に植えつけ、本来のフランスを守ることが大事だと教育する本になっていて、非常に多く読まれたといいます。

「フランス史」という概念も、大方そのころに生まれます。１８７０年代、普仏戦争で傷つけられたフランスは、フランス史という概念を使って、フランスは元からひとつであるという幻想をつくり上げていきます。そのために活躍した人物が、歴史学者のエルネスト・ラヴィス

（1842〜1922）です。彼は『フランス史―基本教程』の1913年の序文の中で「この本は、国民史の主要な事実を親しく語る主要なテキストからなっている」と書いています。同書は、よく売れ、彼の死後も新しい歴史を加えて出版され続けました。

とはいえ、この本の内容は、中世までのフランスが主で、現代の歴史はあまり重きが置かれていません。

エルネスト・ラヴィス

最初にフランスをつくった人物として登場するのが、ヴェルキンゲトリクス（紀元前72〜同46）です。この人物は存在自体も怪しいものですが、紀元前1世紀にカエサルと戦い、その軍門に下ります。しかし、敗れたといえどもガリア人の首領です。このガリアの大地がフランスの始まりで、以後このガリアの大地の歴史こそフランスの歴史だと語ります。

フランス史、イギリス史、ドイツ史が始まるのは、むしろ16世紀以後なのですが、大地や民族を前面に押し立てて歴史を語ることで、愛国主義に訴える歴史書物となっています。「国民史」という概念がありますが、まさにそれです。

ピエール・ノラ編集の『記憶の場』の原書は、全3巻、総ページ数5000ページの記念碑的作品で（邦訳版は岩波書店から全3巻、1400ページ弱で発刊されていて、原著からいくつかの章が抄訳されている）、そのなかにこのラヴィスと2人の子供の『フランス巡歴』に関する論文が掲載されています。

『フランス巡歴』は、10年間で３００万部、１９７６年までで８５０万部が売れたそうです（私も持っています）。国民的愛読書とも言えるベストセラーですが、同書に関する２つの論文が、『記憶の場』に取り上げられているのは、国民国家形成の役割を果たしたからです。

フランス国家を統一する役割として、フランス革命が強調され、国歌、フランス共和国記念日などが制定され、各地の街路に英雄の名がつけられ、銅像なども建てられます。こうして国民という概念がいろいろな機会を使って明示され、誰でも自分はフランス国民としてフランス国家に属しているという自覚を植えつけられます。

## 大衆の反逆

すでに19世紀後半には、ヨーロッパでは初等教育が義務化され、多くの人々が本を読めるようになっていました。こうして大衆のなかから次第に読書人、知識人が形成され、大学に進学する者も出てきます。しかし、少なくとも第一次大戦まではそうした大衆は、あまり大きな力を持っていなかったのです。19世紀には、エリートの世界と非エリートの世界が明確に区別され、ブルジョワ階級でさえ、支配階級としてはいまだ認知されていませんでした。

しかし資本主義が発展するとともに、ブルジョワ階級が勃興し、そして一般大衆の力が増大していきます。

それを明らかにしたのが、スペインの哲学者ホセ・オルテガ・イ・ガセット（1883〜1955）の『大衆の反逆』（1929年）です。同書は冒頭からこういう文章で始まります。

オルテガ・イ・ガセット

「そのことの善し悪しは別として、今日のヨーロッパ社会において最も重要な一つの事実がある。それは、大衆が完全な社会的権力の座に登ったという事実である。大衆というものは、その本質上、自分自身の存在を指導することもできなければ、また指導すべきでもなく、ましてや社会を支配統治するなど及びもつかないことである。したがってこの事実は、ヨーロッパが今日、民族や文化が遭遇（そうぐう）しうる最大の危機に直面していることを意味しているわけである。こうした危機は、歴史上すでに幾度か襲来しており、その様相も、それがもたらす結果も、またその名称も周知のところである。つまり、大衆の反逆がそれである」（神吉敬三訳、ちくま学芸文庫、1995年、11ページ）

一方、ジュリアン・バンダ（1867〜1956）は、『知識人の裏切り』（1927年、宇京頼三訳、未來社、1990年）のなかで、知識人自体が、体制順応的になっている様子を描いています。

19世紀後半には、すでに読書階層や教養層の変化、大学入学者の変化などの現象はありました。現在から見ると大衆と呼ばれる者も、エリートであることは変わりがないのですが、それまでのサロン階級の知識人から見たら、まったく異人種が出現したと思ったのではないでしょうか。出自のはっきりしない不気味な階級、それが大衆です。フロイト心理学が対象とする貴族階級の庶民に対する不安と同じように、旧上流階級に属する人間に、政治に対する不安、文化に対する不安、その地位を失う不安を引き起こしていきます。

その最初の現れこそ労働者階級の勃興だったのですが、この労働者階級がものを言う階級として出現し、政権奪取を狙っているということは、支配階級にたとえようもない不安を誘ったに違いありません。

もうひとつは、ヨーロッパとは異質な、アメリカにおける大衆社会の出現で、アメリカでは労働者階級ですら自動車を持ち、ヴァカンスを楽しむことができる。

この２つの大衆が、旧来のヨーロッパに与えた影響は大きなものがあったと思われます。

ヘルマン・ヘッセ

ヘルマン・ヘッセ（１８７７〜１９６２）の小説『デーミアン』（１９１９年）の冒頭にも、同じようなことが書かれています。主人公（デーミアン）は、父や母の世界と、女中や職人の世界があると述べています。もちろん、この２つの世界の比較は、単純にエリートと大衆との比較ではなく、それまでのヨーロッパのありようと、それを乗り越えていくある種の不気味さとの対比です。

大きな力を持ち始めた大衆をどう制御するか、そこにナショナリズムの問題が絡んできます。

## ナショナリズムと国民国家

この章の冒頭に、民族学者マルセル・モース（1872〜1950）の『国民論』（1953〜54）の一部を引用しましたが、同書には国民とはどういうものかが書かれています。

国民国家がなぜ人々の心をつかむようになったのか。国民国家は16世紀くらいに誕生したとはいえ、人々が国家という意識を持つようになってくるのは19世紀になってからです。

アメリカの移民がどこから来たかという調査を見ても、その多くは、どの地域から来たと答えるだけで、国名など出てきません。それは当然で、フランスやイギリスといった国以外、いまだ国民国家が形成されていなかったからです。ハンブルクから来たか、ヘッセンから来たかが重要だったのです。

マルセル・モース

オーストリアのような帝国では、言語が統一されていなかったので、住まいのある地域名や、オーストリア人かクロアチア人かが区別できればいいという程度だったのではないでしょうか。

しかし、次第に言語や民族による統一性が図られるようになると、国家が問題になってきます。

国家の壁などなかったマルクスやエンゲルスの若き時代（1840年代）は、政治的運動が一般化し、拡大することが簡単であったとも言えます。同じ階級に属し、同じ思想を持つ者が、緩やかだった当時の国家的な枠組みを越えて結びつき、国家を超えた同盟を結ぶことなども、たいして難しくはなかったのです。しかし、次第に国民国家という体裁が整ってくると、それを超えて活動するのが難しくなる。それが民族主義です。階級や地位よりも民族が重要になるのがナショナリズムですが、これが最も顕著に現れるのが国家間の戦争です。

しかし、国家と民族は一致していなかったのです。クロアチア人はオーストリア人として戦ったのですが、インド人はイギリス人として戦ったのです。それは国民国家という枠に当てはまらないのです。

## 階級より民族、人種

だからこそ、国民国家以前は、労働者のインターナショナルを進めることが可能でした。まさに第2インターナショナル（1889～1916年）を襲ったのがこの民族問題であり、階級よりも民族が重要だという問題意識を、社会主義運動に持ち込んだわけです。労働者階級の敵はブルジョワであり、国家ではない。だから戦争を拒否すべきなのか。労働者であろうとその国の国民であれば、その国家のために戦うべきなのか。この二者択一は第一次大戦で、後者に軍配が上がり、左翼政党は国家主義者になりました。

しかし、ソ連がそれを押しのけました。第3インターナショナル（1919~43年）は、もう一度、世界のプロレタリアートを組織し、そこでは世界という概念が復活したのです。しかし、それはすでに説明したように、一国社会主義というかたちで崩壊します。

普遍主義の運動であったマルクス主義や国際主義が、国民国家の壁の前で挫折するのはなぜか。掲げられた普遍主義に問題があったと考えざるを得ません。

国籍のないプロレタリア一般というものが存在しうるのか、それとも存在しないのか。第3インターが世界のプロレタリア運動から、ロシアのプロレタリア運動へと変貌するなかで、ロシア主義が台頭します。インド、中国などは、ロシアに与することになります。ソ連のロシアではなく、世界のプロレタリアを代表するロシアなのであれば、なるほどロシアの命令は全プロレタリアの命令となるのですが、それがもっぱらロシアの権益に関わるのだとすれば、それはロシアの拡張であり、それぞれの国の利益と対立せざるを得ません。一国社会主義を進めたことが、結果的にインターナショナルという組織をロシア拡張の戦略基地にしたわけです。

ソ連一国内においてもそれは同様であり、ロシアが、ソ連を構成するほかの地域を支配するという構造とプロレタリア運動がひとつになってしまったわけです。中ソ対立を生み出す問題が、すでに1930年代に起こっています。

アメリカの経済恐慌においても、アメリカはロシアと同じように自国の権益という側面を強く押し出すことになってしまいました。アメリカはロシアと同じように自国の権益という側面を強く押し出すことになってしまいました。アメリカ的自由を守るのではなく、アメリカという国を守るという目的にすり替わっていったのです。

それでは、なぜ国民国家（Nation State）は根強いのかという問題がここで出てきます。普遍主義の運動であったマルクス主義や国際主義が、国民国家という民族主義の前で挫折するのはなぜか。この問題こそ第二次大戦の原因となるのですが、普遍主義にも問題があったわけです。

資本主義の発展がプロレタリアとブルジョワの対立を激化させるといっても、それは地域や民族によって位相が異なります。たとえば、先進国と後進国でも明らかな違いがあります。進んだ地域のプロレタリアの利益と遅れた地域のプロレタリアの利益が一致するはずがありません。西欧の労働者は、東欧の労働者がドイツやオーストリアの支配下にあることで得をしていると知ったら、東欧の民族独立運動に簡単に賛成することはできません。先進国の労働者が支配権を握れば、すべては解決するといっても、説得力はないでしょう。だからプロレタリア階級の民族対立が起こります。

ヴェルサイユ会議で、なぜヨーロッパがアジア・アフリカの民族独立を認めなかったのか。それはヨーロッパ諸国がブルジョワ国家であったからというのは屁理屈で、階級より民族・人種が優越したというのが真実です。

なぜ民族・人種は階級以上に強いのか。国家が民族によってできているとすれば、そこには階級の問題は生じないし、普遍主義的理想論も通らなくなる可能性が生じます。

## 想像の国家、民族

ベネディクト・アンダーソン（1936〜2015）は『想像の共同体』（1983年、白石さや・白石隆訳、NTT出版、1997年）のなかで、社会主義革命も国民国家の単位を超えることはなかったと言っています。彼は、国家や国民が実在していたのではなく、そのように見えるという意識（幻想）の問題として国家を位置づけました。

「国民は主権的なものとして想像される。なぜなら、この国民の概念は、啓蒙主義と革命が神授のヒエラルキー的王朝秩序の正統性を破壊した時代に生まれたからである。それは普遍宗教のいかに篤信な信徒といえども、そうした宗教が多元的に併存しており、それぞれの信仰の存在論的主張とその領域的広がりとのあいだに乖離があるという現実に直面せざるを得ない時代であり、人類史のそういう段階に成熟をみた国民は、自由であることを、そしてかりに「神の下に」であれば、神の下での直接的な自由を夢見る。この自由を保障し象徴するのが主権国家である。そして最近国民は一つの共同体として想像された」（前掲書、25〜26ページ）

しかし、国民国家はたとえ最近になって生まれたといっても、また主権として、自由を獲得したとしても、その獲得の時代は、きわめて伝統的な時代のものであり、だからこそ、彼の自由はある特殊な地域の〝神の下〟に保障されたものであり、そうである以上、ある地域の神への信仰のように国家を考えることになるということです。そして、その意味で神の前の平等、神が保障する共同体における平等を想定することになります。だからどんなに同胞国民にいじめられようとも、非難するよりもむしろ同胞愛を感じてしまうのです。

もちろんこれを理解するには、「大衆の出現」という視点も欠かせません。そもそも過去の国家はさまざまな階層を持つ社会であって、国家の中にさまざまな〝第二国家〟が存在し、そこでそれぞれが社会をつくっていたわけです。ドイツ語では「Korporation（コルポラチオン）」というものですが、そうした組織がなくなり、誰ともつながりを持たない大衆一般として人々が出現してきたという事実も、重要な問題です。組織を持たない大衆は、さまざまな状況のなかで群衆としてふらふらするしかない。

プロレタリア階級が、ある意味で職人的な組織力を備えた階級だった時代と、巨大な工場内でそれぞれが歯車としての役割を果たすだけの、互いに無関心（apathy（アパシー））な人間にならざるを得なくなった近代的労働者の時代は、同じものではありません。後者のプロレタリア的な結束ができなくなった労働者こそ、近代的サラリーマン階級、いわゆる中産階級ですが、こうした階級はプロレタリアに対し嫌悪を感じこそすれ、互いに結束したりしません。むしろ個人生活に目を向けることに一所懸命になり、そこに儚い楽しみを求めようとする。そうなると、コルポラチオンをつくることができない。そうなると大衆一般として、まったくばらばらの個人になるしかない。こうした階級の出現が、愛国心や民族主義を勢いづかせたとも言えます。

人種的・民族的偏見は、理想主義が崩壊した1930年代以後に現れますが、大衆は、その多くがブルジョワ批判よりも他国民の批判をするようになります。またマスコミも政治もそういう傾向になり、そこにファシズムという問題が起こるわけですが、これについては次章で考えることにします。

第6章

# ファシズムの胎動

## ――国家は道具か主体か

「大衆もまた哀願するものより、支配するものをいっそう好み、そして自由主義的な自由を是認するよりも、他の教説の併存を許容しない教説によって、内心いっそう満足に感じるものである」（ヒトラー『我が闘争』第1巻1925年、平野一郎・将積茂訳、角川文庫上巻、1973年、75ページ）

「今日以後、かりにヨーロッパとアメリカが滅亡したとして、すべてのアーリア人の影響がそれ以上日本に及ぼされなくなったとしよう。（中略）ある民族が、文化を他人種から本質的な基礎材料として、うけとり、同化し、加工しても、それから先、外からの影響が絶えてしまうと、またしても硬化するということが確実であるとすれば、このような人種は、おそらく「文化支持的」と呼ばれうるが、けっして「文化創造的」と呼ばれることはない」（前掲書、414〜415ページ）

## ナショナリズムからファシズムへ

なぜ戦争は起こるか？

第二次大戦とはいかなるものであったのでしょうか。それを知るために、ただ戦争の始まりから終わりまでの事実を追っても、おそらくなにも出てこないでしょう。

同じことは、第一次大戦に関しても言えます。たんに事件の発端から戦争の経緯を追っても、そこに出てくるものは政治であり、作戦であるにすぎません。そこに歴史をどう読み込むかという問題があるわけです。

レーニンが『帝国主義論』（１９１７年）で述べたように、第一次大戦は帝国主義による再分割の戦争であるという見方は、まさに歴史の読み方のひとつを示しています。帝国主義列強が植民地の争奪戦を展開した。なるほど、そうとも言えます。しかし、それもまたひとつの見方にすぎません。

ナポレオン体制崩壊後の復古体制の転覆という見方もできます。勃興する国民国家が、帝国を押しのけたということです。それによって王政が崩壊し、オーストリア帝国、ドイツ帝国、ロシア帝国、オスマン帝国などが消滅し、民族を主体とする国民国家がヴェルサイユ体制によってもたらされました。

いずれにしろ、こうした展開を必然化したものこそ、資本主義経済の発展であったわけで、資本主義社会の市場拡大が帝国主義戦争をもたらし、資本主義が国民国家と結びついたことが、帝国の崩壊をもたらしたということです。

そして資本主義経済は、やがてアメリカを世界の強国に押し上げ、ロシアに社会主義体制をもたらします。結果として、旧ヨーロッパ的国民国家が、この２つに挟まれるかたちとなり、第一次大戦後のヨーロッパは形成されました。そこでの原理は合理主義的であり、国際均衡、不戦条約、国際連盟、民族自決といったきわめて合理的な思想がありました。一方での民主主義と資本主義の繁栄であり、他方での社会主義とマルクス主義の興隆だったわけです。

しかし、その2つの間に挟まれたヨーロッパ地域は、こうした合理主義とは裏腹に第一次大戦後の復興がままならず、1920年代に困難な戦後を迎えたのです。戦勝国のイギリスやフランスは別として、ドイツ、スペイン、イタリア、そして東欧地域の戦後は決して楽なものではなかったわけです。ドイツやオーストリアのハイパーインフレーションだけでなく、戦後復興の遅れが、こうした国で不満を蓄積させていきます。

こうした状況を決定的に悪化させるものが、アメリカとソ連から押し寄せてきます。アメリカからは29年に始まる世界恐慌が、ソ連からは社会主義の影響力の増大と政権奪取への圧力がもたらされます。

そうした脅威が、それぞれの国民国家で不満の爆発を引き起こしたのですが、それがナショナリズムに向かっていったわけです。第一次大戦で生まれた、きわめて合理的な近代主義が、階級の崩壊をもたらし、人民に政治的解放をもたらしたのですが、それが労働者階級の団結という組織化に向かわない場合、ナショナリズムに向かい、経済的不満が合理的な経済発展へと向かわない場合、保守的な権力構造と結びつき、自国礼賛の愛国主義に向かったのです。その中心となったのが大衆（Masses）です。「マルチチュード」とも呼んでいいものですが、これは「はっきりわからない塊（かたまり）」という意味です。この大衆を扇動し、国家主義を打ち出したのがファシズムでした。

## ファシズムの台頭──大衆による合理主義の否定

第一次大戦後、最も早く国家主義的政策を採ったのが、イタリアでした。ファシズムの語源、「Fascio（ファッショ）」という言葉自体がイタリア語であり、「塊」を意味するこの言葉は、集団・国家を意味するものとして、国家主義という様相をとって出現します。

ドイツの社会学者エミール・レーデラー（１８８２〜１９３９）は、『大衆の国家』（青井和夫ほか訳、東京創元社、１９６１年）のなかで、ファシズムを生み出した最初の実験であるフィウメのクーデタを取り上げています。この町は、今はクロアチアの港湾都市リエカですが、この地域にはイタリア系住民が多い。

第一次大戦の見返りとして、この地をイタリアは要求し、１９２４年にリエカは正式にイタリアに編入されましたが、この地で19年に起こった運動は、まさにファシズムの原型になったとレーデラーは言うのです。

エミール・レーデラー

ガブリエーレ・ダヌンツィオ（１８６３〜１９３８）は軍人であり、詩人でもあるのですが、自軍を率い、弁舌によって大衆を煽り、フィウメの政権を奪取し、独裁を布きました。

ガブリエーレ・ダヌンツィオ

ベニート・ムッソリーニ

レーデラーはこう述べています。「すなわち民族革命により打ち立てられ、大衆の憤激の上に基礎をおく『国家』、あるいは、なによりもまず雄弁家であり、その雄弁によってたえず国民を緊張させておくようなリーダーに率いられた国家、そこでは利害と観念の漸進的な相互作用のなかから世論が生まれてくるのではなくて、絶え間ない行動と興奮が日常茶飯事であるような国家の思い出が残されたのである。これこそ、シンボル・旗・雄叫び・挙手・ユニフォームそれに行進といったものを、もっぱらリーダーとその大衆への抵抗をうちくだき魔力を持続する手段として、利用した最初の国家だった」（前掲書、75～76ページ）。

その大衆デマゴギーが後にベニート・ムッソリーニ（1883～1945）のファッショ党、ファシズムを生み出すのです。

第一次大戦後すぐに起こったダヌンツィオによるフィウメの統治（1919～21年）は、大衆を動員した新しい社会の出現を予告していたわけです。

大衆は知識人による理想の統治を拒否し、愛国心やルサンチマン（復讐心）、熱情や差別感情といったものに基づく非合理的な政治運動に歓呼の声を挙げるようになります。マルクス主義も民主主義も近代的合理主義のうえに成り立っているのですが、それを拒否する力が生まれてきたと言うべきでしょう。

先にも登場したウォルター・リップマンは、ステレオタイプ化していく大衆の論理を、第一次大戦を分析することで検討し、次のように述べています。「大衆が読むのはニュース本体ではなく、いかなる行動方針をとるべきかを暗示する気配に包まれたニュースである。大衆が耳にする報道は、事実そのままの客観性を備えたものではなく、すでにある一定の行動型に合わせてステレオタイプ化された報道である」（リップマン『世論』下巻、76～77ページ）。

ステレオタイプは「類推（アナロジー）」と深い関係があります。それはプラスにもマイナスにも働きます。この世界を認識するためには、言語などの媒体が必要であり、それを通して類推するしかない。手っ取り早いのが、すでに知っている知識と同じだと考えることです。こうして極端な見解が大衆のなかに生まれていくのです。

## ファシズムとは行動である――ムッソリーニの理論

大衆動員に目をつけたのが、ヒトラーであり、ムッソリーニですが、ムッソリーニのグループは、ファシズムを次のように説明しています。

まずファシズムを原理ではなく行動であると規定したうえで、その思想の性格を「集団主義」

であると特徴づけます。それまでの近代的思想を個人主義として総括し、それを批判します。個人主義について、その特徴をこう述べます。

「このような（筆者注：個人主義的な）観念に基づく社会とは単に個人の和であり、個々の部品に分解可能な複数性の概念である。それ故に社会と個人とは必ずしも同じ目的を共有せず、それは個人のために存在する社会であると言える」（A・ロッコ、G・ジェンティーレ、B・ムッソリーニ『ファシズムの原理 他三篇』、紫洲古典、紫洲書院、8〜9ページ）。

個人主義においては、国家や社会をいかようにも創出できるという想像の自由がありますが、ファシズムにおいて人間は、国家や家族、そしてその国家の歴史から生まれるのであり、けっして自由な個人としては存在しないと主張します。

その意味で、近代的思想、とりわけ合理主義的な功利主義が批判されるのですが、マルクス主義なども個人をいったん国家から切り離し、そこから国家や社会を考えるという点では、まったく同じ〝近代主義〟だと批判します。マルクス主義は類としての集団を考えるのですが、それはいったん近代による個人への解体を経たのちであり、それが個人主義的であることは間違いありません。

そうなると国家制度は、個人の満足を実現するための道具となるわけですが、ファシズムは、国家は道具ではなく、人間と同じ主体となる有機体だと考えるのです。同じく英米のような民主国家も、その正反対のソ連もやり玉に上がります。

まず英米に代表される民主主義、資本主義的制度は、個人に軸足があり、国家を無視している点で許容できないとします。ソ連に代表されるマルクス主義は、たしかに集団的であるが、労働者という個々人の目的のために利用される点で認められないと言うのです。

１９３０年代になって、ファシズムが民衆の心を捕えるのは、前述した米ソの失敗と脅威がヨーロッパ諸国を襲い、それがナショナリズムと結びついたからです。

ナショナリズムは、国家を生命ある有機体としてとらえ、そこに国民が家族として抱かれ、個人は家族を通して国と一体化すると考えます。異民族は家族の一員ではないとして排除されることになります。だからこそ、一民族、一国家というナショナリズムが生まれるわけです。

## 民主主義は独裁に至る？

そもそも国家とはなにかということが、ここで問題となってきます。国家とは単なる機関なのか、それとも主体性を持ったものなのかという問題です。

19世紀までの国家論は、国王の意思を体現したものが国家であり（そういう意味では国家には主体性があると言えます）、それが国民国家となって、国民が国民を管理するための装置に変化したと考えます。その意味で、国家は道具であったわけです。道具である以上、そこに主体はない。主体はそれを動かす国民であるというわけです。

ところが20世紀になって、そうした概念が揺らいできたのはなぜかということが問題になります。ヘルマン・ヘラー（1891〜1933）は『主権論』（1927年、大野・山崎・住吉訳、風行社、1999年）で、この問題に答えています。絶対主義王政にあったような国家とそれを構成する国民との関係が消え、国民が国家を道具として考えるようになった過程が、そこで取り扱われています。絶対王政にあった国家の主体的な意味を、近代社会が取り去ってしまったことに対する不安が、国家の有機体論復活の第1の原因です。第一次大戦を契機として生まれた国家の危機という問題が、そうした国家の機能主義的な考え方に疑問を提起したことが、第2の原因となります。

国家が道具であるならば、どんな者でも自由に国民になることができます。しかし、国家は、そんなものではなく、それ自体が主体的意思を持っているというのです。ファシズムという思想は、まさにこの主体性を有する国家意思という問題から生まれています。国家を自由に選ぶことなどできない。国家は親であり、子は親から離れることは血縁としてあり得ないというものです。

この問題を積極的に展開したのが、〝ナチの法学者〟とも呼ばれるカール・シュミット（1888〜1985）です。シュミットは、国家は戦争や暴動といった非日常的なものを日常的なものとして取り扱うと述べています。国家はそうしたものに対する即座の対応を必要とし、どんな民主主義も独裁にならざるを得ません。その手続きが早いか遅いかは別として、最終的には決断が必要で、その決断は独裁たらざるを得ないのです。

「独裁は決して民主主義の決定的な対立物ではなく、民主主義は独裁への決定的な対立物ではない」（シュミット『現代議会主義の精神史的状況』1923・26年、樋口陽一訳、岩波文庫、2015年、32ページ）と言うのです。

これは「決断主義」と称される概念ですが、この決断は非合理的な判断によってなされます。国家はその存続を国民の合意ではなく、国家の持つその歴史性によってなす、とシュミットは言います。そこに合理主義は要らないというわけです。

## ヒトラーの批判したもの――『我が闘争』

アドルフ・ヒトラー

弁舌によって大衆を惹きつけたアドルフ・ヒトラー（1889～1945）は、危機を日常化した政治家とも言えます。ソ連の脅威と資本主義の腐敗が彼の言う「危機」です。前述のように、この2つは近代の合理主義から生まれました。だとしたら、そこから脱出するには、別の回路が必要になります。人種、民族性、国家の歴史が持ち出されるのはそのためです。

ヒトラーは『我が闘争』（第1巻1925年、第2巻1926年）を出版します。ミュンヘン一揆（1923年、ヒトラーたちがワイマール共和国を倒そうとして蜂起）のあと、収監されていた刑務所で、執筆しました。

そこで彼は、大衆を味方につけるには、ペンで書かれた文章ではなく、口から発する〝ことば〟が有効であると主張します。

「そうだ、ペンにはつねに革命を理論的に基礎づけることだけが残されている。だが宗教的、政治的方法で偉大な歴史的なだれを起こした力は、永遠の昔から語られることばの魔力であった。大勢の民衆はなによりもまず、つねに演説の力のみが土台となっている。そして偉大な運動はすべて大衆運動であり、人間的情熱と精神的感受性の火山の爆発であり、困窮の残忍な女神によって扇動されたか、大衆のもとに投げ込まれたことばの放火用たいまつによってかきたてられたからであり、美を論ずる文士やサロンの英雄のレモンのような心情吐露によってではないのである」（前掲書上巻、161〜162ページ）

ヒトラーは、内容が空虚になった国家に国民として入り込んだのが、ユダヤ人や劣等的他民族であり、プロレタリアート運動を展開するソ連の共産主義者であり、かつ腐敗した資本主義を提唱する人々であると考えました。

当時、ソ連の脅威に対する不安は、多くのヨーロッパ人、とりわけブルジョワや貴族、そして知識人に共有されたもので、また腐敗した利己主義的資本主義に対する批判も、貴族層や知識人が共有していたものです。ヒトラーは、この2つを撲滅することを主眼としました。そうすると保守的になるのですが、そこをアーリア人による積極的に選別された民族国家というものを称揚することで進歩的要素を出し、前向きの思想を標榜します。労働者たちも、資本主義の腐敗を批判するヒトラーのうちに、自分たちの味方を見出したわけです。民族精神、人種の優越、排外主義を煽り、資本主義でもない、社会主義でもない、新しい世界が開けると民衆に説き、スケープゴートを見つけ出し、彼らを虐待し、痛めつけることで、大衆が持っていたコンプレックスの捌け口とします。

こうした動きに、フランスも、イギリスも、アメリカもなにもできなかったのは、ヒトラーが一種ヌエ的な主張をしていたからです。西欧はヒトラーに、ソ連に対する防波堤を期待することで、ヒトラーを生かしたことになります。

こうしたヤヌスの２つの顔を持つナチは、大衆の支持をバックにして、選挙で合法的に勝ち進んで行きます。非合法でなく、合法的というのが、教訓として重要です。宗教と軍事の両勢力は、彼にとっての癌でしたが、これは相次ぐテロと暴力によって抑えていくわけです。

## 左右の戦いの舞台となったスペイン戦争

イタリアでムッソリーニ、ドイツでヒトラーが政権を取り、さらにブルガリア、ルーマニア、ポーランドなどで極右政権がどんどん広がっていった理由は、ヨーロッパの１９３０年代の微妙な政治状態に原因がありました。フランス、イギリス、ソ連やその他の多くの国が、他国に対して不干渉政策を採り、ドイツやイタリアによるスペイン戦争（１９３６～39年）への介入にも、見て見ぬふりをしました。

スペイン戦争は、ジョージ・オーウェル（1903～50）の『カタロニア讃歌』（1938年）、アーネスト・ヘミングウェイ（1899～1961）の『誰が為に鐘は鳴る』（1940年）で描かれた、フランコ政権と人民戦線との攻防です。1936年にこの内乱は始まるのですが、不安定なスペインの歴史がその裏にはありました。スペインの国王アルフォンソ13世（1886～1941）は、最後のブルボン王朝の国王ですが、スペインは国王が統一できるまとまった国家ではなかったのです。分裂した国家であり続け、その間を縫って他国の軍事介入がしばしば起こっていました。

1920～30年代にかけて、ヨーロッパ各国でソ連の支援を受けた左翼と、それに対抗する右翼が出現し、闘争を繰り広げます。それはドイツやイタリアにおいても同じで、2つの地域は30年代に右翼政権が力を持ち、一方フランスでは人民戦線が優勢となります。

スペインでも人民戦線が優勢になったのですが、フランシスコ・フランコ（1892～1975）

ジョージ・オーウェル

アーネスト・ヘミングウェイ

率いる軍部がクーデタを起こし、内戦が始まります。フランコをイタリアとドイツが支援し、他方、首都マドリッドやカタロニアはフランスの人民戦線が支援しました。この内乱が、ヨーロッパの左右の衝突の場となりました。

アルフォンソ13世

フランシスコ・フランコ

フランコのクーデタに対して、左翼国家であるフランスとソ連は本来参戦するはずですが、フランスの人民戦線内閣首相のレオン・ブルム（1872～1950）は不干渉を主張し、ソ連のコミンテルンも介入に逡巡したのです。介入によってヨーロッパ戦争へと拡大する可能性を恐れたのですが、英米も同じ選択をするに及んで、国家を離れた国際的な動きが起こりました。

これがスペイン戦争を歴史のなかに燦然と輝かせている部分です。国家は不干渉だとしても、ヨーロッパ中の左翼、知識人がこれに参加しました。

ジョージ・オーウェルはカタロニアで人民戦線に加わります。彼は「歴史は1936年で止まった」と言っていますが、まさにこの戦争を機に、ヨーロッパではナチのような右翼政権の時代が始まります。そして人民戦線はやがて崩壊します。

義勇軍と共和国の正規軍、それに対してフランコ軍とドイツ、イタリアの援軍の戦いです。この闘争は最終的にフランコの勝利に終わりますが、途中からソ連が介入してきます。しかし、時すでに遅しで、この敗北によってヨーロッパにあった民主主義、社会主義、合理主義といった精神が封殺されてしまいます。

レオン・ブルム

## 総力戦体制としての戦争

やがてヨーロッパは、1939年9月、ドイツのポーランド侵攻によって世界大戦へと進みます。ドイツのフランス侵攻、ペタン元帥によるヴィシー傀儡政権の誕生（ペタン政府とドイツ占領地によるフランスの分割）、ドイツの41年6月の対ソ不可侵条約の破棄による東方への侵攻と、ヨーロッパはファシズムによってすべて塗りつぶされていきます。

ドイツに対する反攻は、西では44年6月6日のノルマンディー上陸作戦、東においては43年1月のスターリングラードでのドイツ軍敗北以降のことであり（ソ連はナチスと41年6月から戦っていました）、45年5月8日にベルリンが陥落し、戦争は終わります。

ドイツでは33年から、イタリアでは22年から続いたファシズム政権は、なにを我々の社会に残したのでしょうか。すべて無であったわけではありません。いやむしろ大きなものを残したのです。彼らの政策の影響は、決してファシズム体制を採る国だけに限られたものではなかったのです。それは、いわゆるTotal War、総力戦体制というもので、英米仏などにも大きな影響を与えます。

総力戦体制というのは、第一次大戦とともに生まれたもので、非常時の体制、戦時体制のことですが、「非常時を一般化した体制」とも考えられます。総力戦について、山之内靖（やまのうちやすし）（１９３３～２０１４）は次のように述べています。

「戦争は前線においてというよりも、一国全体のあらゆる資源――経済的・物的資源のみならず、知的能力・判断力・管理能力・戦闘意欲を備えた人的資源、さらには、そうした人的資源を情報操作によって制御し得る宣伝能力という新たな資源――を動員しうる官庁組織によってこそ、遂行され得るものとなったのである」（『総力戦体制』伊豫谷登士翁・成田龍一・岩崎稔編、ちくま学芸文庫、２０１５年、14ページ）

陥落した国会議事堂（1945年５月２日、ベルリン）

戦争が陸海軍兵士によって前線で行なわれるだけではなく、首都の官僚によって遂行される時代が来たということです。国民すべてが総動員され、戦争は技術的かつ機能的な国家予算によって発展する巨大なビジネスになったのです。戦争それ自体が日常化したことで、新しい体制が生まれます。

そして、社会そのものが変わりました。国内に住むすべての人々が、「国民」というひとつの枠のなかに押し込められ、戦争という自己犠牲的な貢献を求められると同時に、その見返りとして国から社会保障を受けられるというものです。第二次大戦後の福祉国家モデルがすでに、こうした総力戦体制のなかに生まれています。

## 統制経済

総力戦である以上、国の分裂を示す対立的党派が存在する余地はなく、ひとつの党に染められます。企業もひとつの産業組織に統一される。思想統制、言論統制を含むメディアの統制が行なわれることで、それまで自由であった言論は封殺されていきます。それは国家と国民の利害の一致という共同体精神が貫かれているということで正当化され、それに反抗する人々は「非国民」として扱われます。

ドイツにおいては、ルドルフ・ヒルファーディング（1877～1941）を中心に「組織された資本主義」という考えが出てきますが、それは無政府的な資本主義を克服するものでした。

また、オーストリア出身のフリードリヒ・フォン・ハイエク（1899〜1992）のフライブルク学派は「オルドヌンク（秩序）資本主義」という概念を提唱します。これは一方で自由を主張しながら、自由を遂行するために厳しい規制と秩序を設けるものです。もともと「コルポラチオン体制」という資本家と労働者との合議という考えのあったドイツでは、資本主義の組織化が比較的スムーズに進みました。

似たような組織が、アメリカやイギリスでも導入されていきます。すでに大恐慌以後、州の権限を連邦が抑える集権国家になりつつあったアメリカでも、産業の組織化が一挙に進められます。GM（ゼネラルモーターズ）やフォードが戦車を生産し、そうした企業の労働者には手厚い社会福祉が施され、企業は国家の統制に従うようになります。福祉型国家は、国民に福祉を保障するプラスの面と、その見返りに国家や企業に忠節を求めるというマイナス面を併せ持っています。現在の年金制度や保険制度は、正規の就業者、反抗せずに黙って働き続ける労働者を前提にしているのです。

ハイエク

こうしたモデルは、日本でも導入され、ある種、戦後の体制を規定したとも言えます。国家中心主義、国益の保護、滅私奉公、終身雇用、年功序列型賃金、その見返りとしての終身年金がそれです。

統制経済は、産業組織の国家による再編成ですが、原料や生産手段の割り当てに始まり、価格統制、競争の統制、生産指導などを含み、国家独占資本主義をつくり出していきます。その意味では、ソ連でスターリンが始めた国家主導の産業化政策も、これと類似しています。

この点においては、ソ連もアメリカも新産業国家として似通ってきたわけですが、国有か私有（民営）かは別として、企業家が資本家から分離し、官僚が産業を指導するような体制が出現しました。これをケインズ政策と言うか、統制経済と言うかはともかく、国家主導の経済政策であることは間違いなく、それが1970年代までの世界の経済政策を支配していたとすれば、総力戦体制は、ナチズムやファシズムの残滓と言えなくもないのです。

その意味で総力戦体制を採ったドイツやイタリアの例は、資本主義においては特殊なものではなく、資本主義そのものの発展形態だったとすれば、次のような戦後神話は成り立たなくなります。すなわち、「アメリカやイギリスのような民主的で正しい資本主義は永遠のものであるが、ドイツやイタリアのような非民主的で不正な資本主義は没落する」という神話です。

これは一種の勧善懲悪なのですが、実際には世界の資本主義経済は、1930年代に生まれた総力戦体制に変化していたのです。総力戦体制化は、社会主義陣営にも当てはまるものでした。そうなると、こうした戦後の総力戦体制に対するアンチとして、80年代にマネタリズムや新自由主義が登場するのは理解できます。国家統制的な産業政策、とりわけ重工業における総力戦的政策が、時代遅れになってきたのも当然でしょう。

# 第7章

# 日本の独走

## ——不戦条約と満州事変

「日本は強い政治的手腕の欠乏によって、苦しまねばならぬのである。政府は弱体で、もがいては深みに陥ってばかりいる。しかも今日の日本の異種異様な諸勢力を支配し、統一するためには、超人的ともいうべき能力をそなえた政治家が必要である」(グルー『滞日十年』下巻、石川欣一訳、ちくま学芸文庫、2011年、28ページ)

「人類の原初の時代から受け継いだ宗教的・政治的思想を、今世紀に、近代的な軍事・産業力に結びつけた唯一の国が日本である。国家として成立した当初から、日本人はいくつかの特性、とりわけ日本独自の特性をあらわにしてきた。こうした特性は、人類の進歩の一般的な流れと接触しても、修正されることはなかった。地理的・文化的な孤立性がそうした特性を人為的に持続させ、結局それが日本に、その民族的使命と世界での地位についての歪んだ想念を与えているのである」(ヒュー・バイアス『昭和帝国の暗殺政治 テロとクーデタの時代』内山秀夫・増田修代訳、刀水歴史全書、刀水書房、2004年、2ページ)

## ねじれ史観の始まり

1931年9月18日、満州事変が勃発します。それから45年まで日本は戦争に明け暮れるのですが、その始まりは基本的には、この日にあります。しかし、日本では、もっぱら1941

年12月7日（現地ハワイでは8日ではなく7日の日曜日でした）に勃発した太平洋戦争だけを「戦争」として取り上げ、戦った相手はアメリカ一国ということになっています。この点からして誤解がありますが、日本がこうして独自の戦争史観を持つに至ったねじれの始まりが、満州事変にあります。

世界史として日本を見るのが本書の目的のひとつですが、その視点に立つと、日本の特異な戦争史観が、今日においてもいかに孤立した歴史観であるかが明白になります。

## 西洋によるアジア支配

日本がこうした独善ともいえる戦争史観に陥ったのは、そもそも欧米による長年のアジア支配に起源があります。19世紀の清は、アヘン戦争（1839～42年）、太平天国の乱（1851～64年）、アロー号事件（1856～60年）、義和団事件（1899～1901年）などによって、欧米列強の侵略を受け、政府自体すでに統治能力を失い瓦解していました。

20世紀前半、中華（国名ではなく文化圏を意味する。時として日本など周辺国もその圏内に入る）の中心をなす清は、それぞれの地域を治める豪族、やがて辛亥革命によって正規軍となった蔣介石軍、共産主義者の軍などが入り乱れ、さらに中国をむさぼり食う欧米と、途中からこの争奪戦に参加した日本によって混乱の極みにあったわけです。

## 欧米列強の要求をどうかわすか

日本は、19世紀初めのロシアの接近から、ヨーロッパ列強の開港の要求に悩まされてきました。決定的な事件がマシュー・ペリー（1794〜1858）の来訪です。ペリーによってこじ開けられた日本は、欧米列強の要求にどう応じるかという問題に直面します。これが維新の運動となって跳ね返ってくるのですが、当初は不平等条約を飲ませた欧米列強に対する排斥運動、攘夷運動が主流でした。徳川と組んだフランスに対して、イギリスは薩長に接近し、徳川幕府打倒、天皇による統治という線で、尊王攘夷から尊王へと維新の思想を変革していきます。

こうして、薩長による倒幕運動が起こり、明治天皇による新しい統治が始まりますが、その動きを支えたのがイギリスで、その意味で明治維新の最重要課題は門戸開放（近代化）で、日本は欧米列強の利益追求の場を提供することになります。この構図は、ある意味で清とよく似ていて、清は香港、広東と開港するにつれて地方豪族の力が増大し、実質的に国が崩壊しました。

しかし、日本がそうならなかったのは、たしかに尊王による天皇制度の堅持にあったのですが、ロシア勢力を排除し、中国貿易を有利なものにするために、日本の独立がイギリスにとって重要だったからです。その限りにおいて、日本の独立は保たれたのです。

とはいえ日本に求められる役割は、ロシアに対する警護としての〝番犬〟の役割です。満州、朝鮮半島に跋扈（ばっこ）するロシアを牽制する任務を担い、その分け前として朝鮮半島と満州を獲得しようとします。それを着実に実行していくのが、日清・日露の戦争です。

しかし欧米列強は、日本の野放図な拡大をつねに牽制しました。日本は番犬としての分を守るべきで、自ら主人になることは許されない。これは西洋による東洋支配の鉄則であったわけです。ここに日本という国の独立の矛盾があったのです。

日本は文明開化による西洋化によって、アジアで唯一、西洋の直接支配を受けない国となります。清・ロシアとの戦いで、その力を見せつけ、西洋と同じくアジアの国を収奪していきます。西洋列強に並ぼうという野望です。しかし、その西洋化を、欧米は決して認めていたわけではありません。

日本によるアジアの解放という名目とアジア諸国（地域）に対する蔑視、西洋崇拝と東洋主義の並立――。アジアの場末の国家であった日本に、中国のような帝国の学問や精神などが継承できるわけがないのですが、西洋崇拝の裏返しとして、中国に代わって東洋を代表することで、西洋に一矢を報いようとしました。そのためには中国を解放するのではなく、むしろ従属させていこうとします。これもまた日本が陥ったねじれ現象のひとつです。

## 移民法と日本人の憤激

勃興していくアジアの日本に対して、欧米はそれをどう見ていたでしょうか。太平洋戦争に至る過程を知るためには、ここが重要です。ポール・クローデルは、１９２１年から27年までフランス大使として東京に滞在しました。彼の本国との通信文が『孤独な帝国　日本の一九二〇年代』（前掲書）として出版されています。第一次大戦から満州事変の前までの日本の状況がよく描かれています。この時代の日本は、ドイツやイタリア同様、経済の混沌と列強による締めつけによって、国民の不満が鬱積していました。

　彼はフランス大使ですから、当然ながらイギリスやアメリカといったアングロサクソンに対する手厳しい批判があります。英米の間隙を縫って、フランスが日本に割り込もうという政治的駆け引きがありますが、彼が指摘している内容は、比較的、的を射ています。とりわけ日本に英米への憎悪が生まれていく背景については、かなり正確に描写されていると言えます。

「日本に対してアメリカ人が感ずる友好的な感情は、軽蔑の混ざった寛容さなのであり、これとはまったく逆に、すべてのアングロサクソンの心の中に、機会さえあれば爆発しかねない激しい感情があるとすれば、それは皮膚の色に対する偏見なのです」（前掲書、３２２ページ）

　１９２４年、アメリカ政府は日本人移民排斥法を制定しますが、クローデルはその問題についてコメントしているのです。日本人はアジア人ではないと思ってきたし、そう努力してきたのに、それが裏切られた。日本人は、移民とは関係のない人も、アメリカの対応に反感を持ったのです。クローデルは次のように書いています。

「アジアの民族とくに中国人との連帯の感情が強まるでしょう。日本人は、今後は否応なくそうしたアジア人の陣営に組みこまれるでしょう。これまで日本人は、自分たちの立場は隣のアジア大陸とは違うものであり、自分たちは黄色い肌のヨーロッパ人であると思わせるよう奮闘してきました」（同書、３２５ページ）

ほぼ同じころ、ベルギー大使だったアルベール・ド・バッソンピエール（１８７３～１９５６）は『ベルギー大使の見た戦前日本　バッソンピエール回想録』（磯見辰典訳、講談社学術文庫、２０１６年）のなかで、移民排斥法に関して言及しています。

「この法は日本に深刻な動揺と、強い憤激を与え、従来アメリカ人にたいして日本人が抱いていた親愛と尊敬の情をいちじるしく傷つけた。ある日本人は東京のアメリカ大使館の前で自殺し、激しい抗議の意志を示した――日本は公的にはこの新しいアメリカの立法を、哲学者のように冷静に受け入れているように見えたのである」（前掲書、１２０ページ）

移民排斥法は、１９２３年９月の関東大震災の復興が終わらない24年7月に発布されたこと、そして第一次大戦後、日本経済がそれまでの軍事特需を失い低迷していたこと、さらに戦争で思ったほど十分な戦利品が得られなかったことで、国民の不満に大きな火を点けることになります。

『ニューヨーク・タイムズ』の記者だったヒュー・バイアス（１８７５～１９４５）は戦前の日本をこう見ています。

「日本は、さまざまな集団間に生まれる均衡によって統治されている国家である。その均衡関係は、集団のそれぞれが自分の役割を演じるだけの不安定な状態にある。またその役割にしても変化する。時の課題が戦争となれば、陸海軍が主役となり、他の集団はみな脇役にまわる。ここで確立しているただ一つの原則――原則と呼べるのであれば――は、名義人による統治が行われていることである。この原則は何世紀にわたる日本の歴史に見てとることができ、今日でもこの原則が支配的である。国家権力には固定した中心は存在しない。日本人はつねに民族の統一について語るけれども、権力中枢について意見が一致することはなかった。彼の唯一の中心は天皇である。しかし天皇は神聖にして権力のない名義人である」（『敵国日本　太平洋戦争時、アメリカは日本をどう見たか？』内山秀夫・増田修代訳、刀水歴史全書、刀水書房、2001年、13ページ）

これは、いいところに目をつけています。たしかに日本には、国家や民族などを統一するしっかりとした理念はなにもなく、自然に閉じられた空間（列島）に住む者を日本人と呼んでいる。それゆえ政治形態もこれといった組織があるわけではない。これは日本流ファシズムがイタリアやドイツのファシズムと異なる理由です。誰も決定する者がいない。だから状況に流されていく。丸山眞男の戦後の「無責任の体系」に通じる議論を展開しています。

## 世界から隔絶した日本

日本という国は世界のなかにありながら、そう考えていないふしがあります。それは今でもそうであって、これぞガラパゴス国家たるゆえんですが、日本の論理と世界の論理は明らかに違っています。ほかの国は、自国の特性を口がすっぱくなるほど主張し、中国や韓国はそれが得意ですが、日本は世界の外にあるかのように閉じこもり、日本には日本の論理があると思いながらも、それを明確に把握することもなく、外部に向けて発信しようとしません。

これがアジアをめぐる日本の立場であり、日本のアジアにおける位置を決定づけています。その典型が満州事変以降の日本の世界における位置づけとの相違です。

このなかで、欧米に相手にされない日本では、アジアの〝雄〟としてアジアを解放するという「東洋主義」と、江戸時代の本居宣長（もとおりのりなが）（1730～1801）以来の古来の日本を目指す「日本主義」が誕生します。

1919年のヴェルサイユ条約では民族自決が謳われ、28年にすったもんだのあげく結ばれたケロッグ＝ブリアン条約（パリ条約）では、締約国同士の不戦が誓われました。

大隈重信

日本はヴェルサイユ条約の欺瞞を突いて、パリ講和会議で人種差別撤廃を訴え、その一方で朝鮮併合、満州国創設へと進みました。その意味で、講和会議における日本代表の発言には矛盾があり、説得力がありませんでした。アメリカの日本人排斥に関しても、日本国内ではアジア人移民に門戸を閉ざし、アジア人を蔑視していたわけで、人種差別批判にも説得力がありま

せんでした。
22年、日本も参加して、お互いに中国に関しては貿易取引の独占はやめようという9か国条約（ワシントン会議）を締結しました。しかし他方で、日本は15年に中国に「対華21か条の要求」を突きつけており（大隈重信内閣）、それに怒った抗日の五・四運動（1919年）を弾圧していました。
孫文（1866〜1925）が12年に中華民国を樹立したものの、国土の範囲も曖昧であったことで、その隙を突いて日本は満州国を建国し、「五族協和」を唱えましたが、日本人以外は誰もそのスローガンを信じようとはしませんでした。国際連盟によってヴィクター・ブルワー＝リットン（1876〜1947）率いるリットン調査団が派遣され、日本の主張は退けられました。

孫文

ブルワー＝リットン

世界と日本の論理には、明らかに齟齬があることがわかるのではないでしょうか。だからこそリットン調査団がこの地に入ることになったのです。

## 日本は不戦条約の試金石——満州事変

日本経済は、第一次大戦の特需で潤ったのですが、それがヴェルサイユ条約以後、不振にあえぎます。ワシントン海軍軍縮条約が締結された１９２１年ころから、経済の不調が目立ち始めます。同条約は日本海軍の艦船の数を減少させるものでした。海軍の軍艦建造を担った松方巌（１８６２～１９４２）の第十五銀行が倒産し、金子直吉（１８６６～１９４４）の鈴木商店も倒産。銀行の取り付け騒ぎが起こり、経済が機能停止する昭和金融恐慌が起こったのが27年です。農業飢饉、関東大震災、アメリカの移民排斥法などによって、日本に職の当てのない人などが海外移住先として満州に注目します。そして、満州のコウリャンを朝鮮に送り、朝鮮のコメを日本に回し、日本の飢餓を克服する計画も立てられました。朝鮮、満州を利用することしか考えていません。

満州は当時、軍閥の張作霖（１８７５～１９２８）が支配していました。張作霖は満州から北京まで支配下に置いていましたが、次第に蒋介石（１８８７～１９７５）に追い出されつつあったのです。

28年、張作霖を爆死させ、その利権を一手に握るという策謀が日本陸軍の判断で実行に移されます。その

張作霖

首謀者は陸軍大佐河本大作（1883〜1955）ですが、『昭和天皇独白録』（文春文庫、1995年）によると、河本は陸軍の策謀をばらすと脅し、結局、天皇による処分を免れたというのです。この時から、天皇はなにも政治に口を出さなくなり、政治の実権は次第に軍に移ります。

蒋介石

張作霖の暗殺で日中戦争の火ぶたが切られたと言ってもいいのですが、単なる爆死事件として処理されました。それ以後も、満州事変、上海事変など、中国に関する戦争は、ことごとく「事変」扱いになります。戦争と呼ばないのは、張作霖事件の2か月後に生まれた不戦条約（1928年、パリ条約）に原因があります。

はたして不戦条約が有効かどうかの試金石は、日本だったのです。オーナ・ハサウェイとスコット・シャピーロの共著『逆転の大戦争史』（野中香方子訳、文藝春秋、2018年）では、不戦条約の意味を無効にしたのは日本の満州事変だったと述べています。それはなぜか？

不戦条約は、戦争を禁止する法律です。国際問題の解決法としての戦争は、それ以後、戦争犯罪になったわけです。今もそれは変わりません。だから、重大事件に「戦争」という名前をつけることはできません。そうでないと国際法廷で裁かれるからで、その最初の例が戦時犯罪を裁いたニュルンベルク裁判と東京（極東国際軍事）裁判だったわけです。

満州事変は「戦争」ではなく、「事変」であったというのは、日本の言い分です。だからこそ国際連盟のリットン調査団が入ったのです。瀋陽（奉天）近くの柳条湖での日中衝突の原因、満州国は傀儡政権かどうか——調査の結果によっては、厳しい処置が下されます。

さらに、不戦条約を侵しているかどうか、中国の権益を日本が独占できるのかどうか（九か国条約＝列国による中国の独立と行政的、領土的保全、門戸開放と機会均等の原則を承認した）が問われました。

当然、中国はその不当性を訴え、結論は調査団の報告の後、国際連盟で決定されることになりました。結果は、日本以外はすべて満州国の独立に反対（42対1で決議）、日本による中国の独占（侵略戦争）に反対というものでした。その結果、常任理事国であった日本は国際連盟を脱退し（１９３３年）、国際社会から出ていったわけです。

松岡洋右

全権・松岡洋右（１８８０～１９４６）の演説の英語力に感嘆し、握手を求めてくる国もありましたが、世界から日本の行為は非難され、国内では礼賛されるというねじれ現象が起きます。

満州事変は、中国への果てしない戦線拡大につながり、日本は自滅へと進みます。日本は国民政府主席の蔣介石を相手にせず、南京に汪兆銘（１８８３～１９

44）を主席とする傀儡政権をつくりましたが、ますます泥沼にはまり込むばかりでした。

アメリカは対日資産凍結と石油輸出の全面禁止、英国は対日資産凍結と日英通商航海条約等の破棄などの経済的制裁に出ます。

それはやがて、昭和16（1941）年12月7日のハワイ準州オアフ島の真珠湾攻撃へとつながっていきます。

汪兆銘

## 共産主義者や自由主義者などへの弾圧

日本国内でこうした動きに反対する人がいなかったわけではありません。アナキスト、共産主義者、自由主義者、キリスト教会関係者、大学教員、ジャーナリストなどです。1925年の治安維持法成立の後、こうした人々に対する厳しい統制が始まります。

同法で最初に攻撃を受けたのが共産主義者でした。29年以降、警察や右翼テロによって多くの党員が殺されています。出版も検閲が強化され、30年代後半には左翼関係の書物は流通しなくなります。さらに徹底した政府管理のもと、党員候補の学生の入党も減少していきます。佐野学（1892～1953）などの共産党幹部が転向し、自らの思想を放棄し、天皇制に賛意を表明しました。

33年、日本工業倶楽部調査課が作った『左翼思想運動に関し子女を持つ家庭への注意』という小冊子があります。日本的家族制度を堅持することで左翼志望の青年を撲滅するという趣旨の文書です。そこにこんな表現があります。

「生まれながらにして心の歪んでいる子女はとかく赤に入りやすい素質をもっている。かかる子女については、できうるかぎり学校教育、家庭教育などによってその性質の矯正に努むるより外方法はないと思うが、最近赤に入る者の大多数に共通している点を挙げてみれば、
イ　年齢21歳から26歳までにして
ロ　頭脳明晰、学力優秀にしてしかも勉強家たること
ハ　特に文芸を嗜むこと
ニ　性質は極めて真面目かつ正直で、研究心強く凝り性にしていずれかと言えば口数が少なきこと
ホ　家庭豊かにして両親健在且つ父は正業についていること」
（10～11ページ）

佐野学

最初から左翼学生は性格が悪いと決めつけているのですが、これを解決する手段として宗教や軍事教練の強化が出てきて、こうして神道と仏教が力を持ってい

きます。

文部省の思想局が出した『左傾学生生徒の手記』（1935年）には、転向した学生たちの手記が掲載されていて、多くの転向理由が、日本独自の天皇制の意味を知ったといった、誘導と取れるものです。そのなかのひとつには、こう書かれています。

西田幾多郎

「そもそも我国の天皇制とは如何なるものであるかと考えてみるに、これこそ日本国民にして日本の天皇制の下に生活した人でなければ解らぬものであります。すなわちこれこそ直接的経験によってのみ体得できるものであります。したがっていかに巧妙に唯物論史観を適用しても完全な理解などなし得ぬ制度なのであります」（42ページ）

天皇制は、科学的に説明できなくても、民族的感情によって理解できるというのですが、これでは外国人には理解できません。理解できないことを理解させるという無理難題を押しつけます。西田幾多郎（にしだきたろう）（1870～1945）の純粋経験（引用では「直接的経験」）が、こんなところに利用されているわけです。しかし、西田哲学と違って、ベルクソンやフッサールという西洋思想との関係は言及されていません。

学者も非科学的であり得ることは、一般人とそれほど変わりはありません。文部省教学局が編集した当代（30年代）の一流の学者を集めた学術報告書（教学局編纂『日本諸学派新興委員会研究報告』内閣印刷局、１９４１年）を見ると、その「哲学編」はほとんどが仏教畑と神道畑の人たちで、西田哲学の面々が名を連ねています。日本の伝統の研究が重要だということはわかるのですが、どうも理解に苦しむようなものが多い。これらの学者たちの多くは、戦後消えてしまいます。

蓑田胸喜

滝川幸辰

　こうした状況のなかで、蓑田胸喜（１８９４〜１９４６）が登場します。彼は移民排斥法成立の翌年、25年に『原理日本』という雑誌を創刊し、やがて東京大学、京都大学の主要な自由主義者を血祭りに上げていきます。これについては、立花隆の『天皇と東大』（下巻、文藝春秋、２００５年）が詳しいのですが、有名な滝川事件（１９３３年、京大法学部教授・滝川幸辰が危険思想の持ち主として休職処分になり、その著書も発禁とされた事件）に始まり、「平賀粛学（１９３９年、東大総長・平賀譲が、同大経済学部教授の河合栄治郎、土方成美を休職にした事件）」に至るまで、東大や京大の主要な自由主義者は、大学から追放されるか、または圧力を受けて、何も言わなくなります。知識人の総崩れという現象が起きるのです。

アメリカの駐日大使ジョセフ・グルー（1880～1965）は、『滞日十年』（前出）のなかで、なぜ日本の知識人が明白な嘘を信じるのかと疑問を呈し、その理由としてこれが国策であり、国策のために彼らは学問を従属させているという言い方をしています。

まさに陸続として曲学阿世の徒が出現する時代と言うべきかもしれません。

## 右翼テロ——五・一五事件と二・二六事件

言論だけでなく、政治が崩壊していったのは、連続した右翼テロに政治が委縮したからです。共産党分子に対するテロと同時に、政治家に対する、あるいは軍の幹部に対する殺戮事件は、1930年代の日本のひとつの特徴でした。いわゆる「天誅（てんちゅう）を下す」わけですが、天誅とは「天皇に代わって不忠を正す」という意味です。先に紹介したヒュー・バイアスは、『昭和帝国の暗殺政治』において、日本の右翼テロをひとつの革命の表現と考えています。民主的表現を持たない世界における暴力的表現、それがテロであるということです。彼が不思議がるのは、こうした暗殺者が死刑にならず、数年後に堂々と出所してくることです。

ポピュリズムやファシズムが発生する条件のひとつに、民衆の支持を受けているということがあります。民衆の支持を目に見えるものにするために、市中でのデモや行進、提灯（ちょうちん）行列といった運動が必要になります。これは、ムッソリーニやヒトラーの常套手段です。日本では、

天皇のために殺人を犯したのだから、それは愛国者となる。

右翼の論理といえば、二・二六事件の思想的バックボーンとされる北一輝（きたいっき）（1883〜1937）が有名です。北の理論、とりわけ有名な『日本改造法案大綱』（1923年）で説かれる思想は、ムッソリーニ的なファシズムに類似しています。そこには個人主義批判があります。西洋直輸入の民主主義は受け売りにすぎず、国民精神こそ重要だと述べている部分は、国家を「国体」と考え、国民をその不可分の部分とすることで、ファシズムの思想を継承しています。その意味では彼の理論も西洋の輸入品なのですが、天皇の直轄統治、家族制度の確立、私的所有の制限などを主張することで、天皇制の下での〝国家社会主義〟を実現しようとします。それは天皇とその赤子（せきし）（君主の子）による民族社会主義に近いのです。

北一輝

二・二六事件に参加した兵隊たちが天皇に直訴し、天皇が国賊として彼らを否定したことは、ある意味、彼らの思い上がりが暴露されたことになります。しかし、昭和に入って続いていた経済的停滞により、閉塞感に苦しんでいた人々が、こうした思想にはまっていくのは当然のことだったかもしれません。

そこに国家神道や仏教が情緒的に入り込んできて、不合理な国粋主義者の像ができ上がります。結局、万世一系という日本人の優生思想はアジア人への蔑視につながるのですが、西洋を「近代の超克」で乗り越え、アジアにおける覇権をめぐって西洋と張り合おうとします。

39年、戦争中の日本と中国を旅行したオーストリアのジャーナリスト、コリン・ロス（1885〜1945）は『日中戦争見聞記 1939年のアジア』（金森誠也、安藤勉訳、講談社学術文庫、2003年）で面白いことを述べています。それは、文部大臣の荒木万寿夫（1901〜73）が「日本は〝天皇の共和国〟を目指す」と言ったことに対する彼の評価です。

「ヨーロッパ人にとって「天皇の共和国」は自己矛盾そのものである。（共和制と天皇制という・著者）二つの概念はたがいに相手を排斥し合うからである。だがアジア人にとっては、この対立の中ではじめて完全、完成があるのだ。日本は国際社会とくに民主主義的国家から、無造作に全体主義国家あるいはファシズムの国と銘打たれている。こうした定義づけをされるとドイツ人、イタリア人たちは侮辱された程度にしか感じないが、日本人はこれを断固拒否する。しかしその理由は、日本人もいちじるしく評価しているナチスあるいはファシストの国家形式を軽視しているからではなく、むしろ日本人の生活形式、思考方式が独特であることを確信しているからである」（前掲書、41〜42ページ）

日本人も、自らのあり方に自信があるならファシズムや全体主義であることを誇ればいいのですが、自分たちこそが民主的だと言い張ります。この矛盾こそ、まさに日本的です。ファシズムも日本では共和政になり、全体主義も民主主義になるというまったく不可解なことが起きます。

まさに西田哲学の「絶対矛盾的自己同一」を地で行くようなものです。

## 手前勝手な論理

なぜアメリカとの対戦に至ったのか。日本は従来、アメリカとイギリスに最も親しみを感じていた国だったのですが、それが少しずつズレていきました。両国との利害が対立してきたこと以上に、彼らの発想が理解できなくなっていったわけです。

第一次大戦後に生まれた国際法、不戦条約と門戸開放（１９２２年の九か国条約。中国に対して門戸を開放）。日本は、これらをアジア解放の布石と位置づけました。アジアに対しては、西洋の東洋支配を終わらせる役割を日本が担っていると喧伝して「大東亜共栄圏」を築き、ヨーロッパ的な近代を乗り越えることを問題にする。その超克は、しかし天皇制と国家神道によって担われるとする。これではほかのアジア人には理解できない。アジアは結局、西洋に代わってアジア支配を進めている日本の思惑に気づかないではいられません。

「日華満協助天下太平」のポスター

西洋に対しては、近代化された西洋の一員として、議会制度、立憲民主制、文化などで西洋化を進める。しかし、日本人は西洋人に小馬鹿にされることでいたく傷つく。そしてその反動としてアジア人を鼻であしらう。西洋的論理でものごとを進めるふりをするが、他方で天皇制、家族主義、神道が、時に頭をもたげてくる。だから、まるで二重人格者のように、西洋と東洋の間を都合よく往復する。それが西洋から見ても、東洋から見てもきわめて奇怪な行動に見える。ヒュー・バイアスによると、それは孤立によって生まれるゆがんだ想念ということになるかもしれません。これは今に残る現象とも言えます。

それが示されるのが、太平洋戦争への流れです。なぜアメリカと戦争したのか。満州国を機縁とした国際連盟の判断にしたがっておけば、おそらくアメリカとの戦争はなかったでしょうが、そうなると、日本のアジアにおける地位は、永遠にアメリカ・イギリスの下位ということになります。アジアの盟主たる日本の地位が危うくなるのです。

しかし、それを経済的に克服するには、あまりにも工業力に差がありすぎます。10倍も違う鉄鋼生産力を持つ国とどうやって戦えるのか。冷静になるとわかるのですが、ひるめば中国からも軽んじられ、その中国・満州から撤退せざるを得なくなります。

また中国との戦争は、建前上はあくまでも戦争ではなく、防衛にすぎないので、それに対して経済的制裁を甘んじて受けることはできないわけです。それが戦争であれば、とうの昔にアメリカとの戦争は始まっていたはずです。そうでないのは、それらが「事変」だからです。だから膨大な軍事力と兵力を中国にそそぎ、多くの犠牲者を出しながら、それらは「戦争ではない」という矛盾に陥るのです。だから戦争と言えるのは、アメリカとの戦争だけだということになります。

アメリカとの戦争が起きたのは、「東亜新秩序」という日本人以外には理解できない、アメリカが国際経済を破綻に至らしめたという妄想にも原因があったとすれば、それは日本に間違いなく非があります。だから、日本の論理としては、欧米の侵略に対する防波堤としての東亜秩序という偽装をなにがなんでも進めなければならなくなるわけです。それが「近代の超克」ということになれば、なんとなく説得力があるように思われる。具体的内容よりもキャッチフレーズがいい。しかし、これはすでに存在する国際秩序を侵していることになります。

第三帝国にもまさにそうしたところがあったわけですが、第三帝国はしかし、第三の道として「ファシズム」を説いていた。ソ連的社会主義ではなく、西欧的民主主義でもない、国家主義的社会主義。それはある

炎上する真珠湾上空を飛ぶ艦上攻撃機

意味で〝理念〟としての世界再編の戦いであったわけです。

しかし、「大東亜共栄圏」は、世界秩序の再編に寄与できるものであったのでしょうか。まさにここに問題があります。第四の道としての天皇制は、独裁的ファシズムのようにアジア世界に流布できるはずのものではありませんでした。それは日本にしか当てはまらないというだけでなく、それをアジアに広めると天皇による支配を正当化することとなり、アジアの民族主義の抵抗を受けます。彼らが日本人の天皇を受け容れれば可能ですが、そうはならなかったのです。すでにその点において破綻していたわけです。

駐米大使野村吉三郎（1877～1964）、特命全権大使来栖（くるす）三郎（1886～1954）、駐日大使ジョセフ・グルー、米国務長官コーデル・ハル（1871～1955）の日米交渉も虚しく、1941年12月7日（日本時間8日）、真珠湾攻撃へと進みます。アメリカとしては、この日本の頑なさには驚いたかもしれません。また平和交渉を進めながら、海軍は真珠湾に迫っていました。誰も決断力を持たないがゆえに、問題解決の先延ばしを繰り返し、結局最後には戦争に突入しなければならないという、自暴自棄の策しか残されていなかったのかもしれません。

# 第8章

# 科学の名のもとに

## ――ユダヤ人虐殺と原子爆弾

## 終戦記念日をめぐるごまかし

日本という国には「日本史」というものがあります。しかしこの歴史には、他国のフランス史やイギリス史などと違って、きわめて特殊な特徴があります。それはそのなかに出てくる事件や戦争、条約などの記述を見てもわかることですが、日本と外国（アジアも）ではその認識が微妙にズレているという点です。もちろんどの国も自国の視点に立って考えるので必然的に違いが生じるのですが、国際関係の微妙な世界では自ずとすり合わせがなされなければなりません。しかし、それすらもなされないとすれば、これは奇妙な歴史が出現していることになります。

そのひとつが「終戦記念日」という戦争終結の記念日です。そこで日本における「終戦記念日」という用語と意味を考えてみましょう。

一般に、終戦は１９４５年8月15日と思われていますが、この日は天皇による玉音（ぎょくおん）放送の日でしかなく、ポツダム宣言受諾を決定し、それを連合国に知らせ敗戦を認めたのは、前日の8月14日です。これは12月7日の真珠湾攻撃で起きたような手違い（駐米大使が米国政府に宣戦布告文書を届けるのが遅れた）ではありません。間違いなく日本時間で8月14日だったからです。海外の新聞は8月14日をポツダム宣言受諾の日と報じているだけでなく、日本の新聞もそう報道していたのです（詳しくは佐藤卓己・孫安石編『東アジアの終戦記念日　敗北と勝利のあいだ』ちくま新書、

2007年)。

一般に戦争の場合、勝利と敗戦のどちらかに決まらない時には「終戦」とするのですが、しかし日本の場合は、無条件降伏をしているのですから、どう見ても「敗戦」でした。多くの日本国民は、そのことを噛みしめたはずです。

しかし、「終戦」記念日と呼ばれるようになり、しかも8月14日ではなく8月15日になったのはなぜか。ポツダム宣言受諾後も、北海道では樺太で戦闘が続き、沖縄では主要な戦闘が終わったのは6月23日であり、最終的な降伏文書調印は9月7日だったのです。

1945年5月8日、ドイツ軍は連合軍に降伏しました。この日は、ベルリンが占領された日(5月2日)でもなく、ヒトラーが死んだ日(4月30日)でもありません。4月末にはドイツ政府は壊滅していました。5月7日に降伏文書を交わし、降伏が効力を持つに至ったのが5月8日。フランスのランス駅の近くの建物で降伏文書の調印式が行なわれました。私はそこを訪ねたことがありますが、調印式が行なわれたのは、小さな部屋です。

ドワイト・D・アイゼンハワー(1890~1969)、ドイツ軍上級大将アルフレート・ヨードル(1890~1946)、ロシア側も

特報 朝日新聞

けふ正午に重大放送
國民必ず嚴肅に聽取せよ

十五日正午重大放送が行はれる、この放送は眞に未曾有の重大放送であり一億國民は嚴肅に必ず聽取せねばならない

玉音放送の特報
(朝日新聞)

参加して調印はなされました。ベルリンでも同様の調印がなされたので、5月8日が「V Day（戦勝記念日）」というのは間違いなく、それはドイツ史においても、この事実に変わりはありません。

ところが、日本のポツダム宣言受諾は正式の調印ではありません。正式の調印は9月2日、東京湾に停泊した戦艦ミズーリ上で、連合国最高司令官ダグラス・マッカーサー（1880～1964）と外相の重光葵（しげみつまもる）（1887～1957）との間で交わされます。だから連合国では9月2日が「V Day」であり、8月15日はいささかも関係がありません。よって、日本では1941年12月8日から45年8月15日までが太平洋戦争と考えられていますが、連合国にとって、戦争終結は9月2日なのです（台湾では10月25日が日本政府の統治が中国政府に移管した日、中国本土では9月3日が抗日戦勝記念日です）。

重光葵

なぜ日本史ではそうなっていないのか。そこに、日本という国の考えが反映しています。8月15日は日本軍による戦争が終わった日であって、条約による戦争の終結日ではない。それはさらに、天皇によって戦争の終わりが宣言された日であり、それはどんな条約の締結よりも重く、臣民として終戦を理解した日であるということです。ちなみに、宣戦布告に関しては玉音放送はありませんでした。

なぜこのようなことになったのかといえば、「負けた」ということを認めたくなかったからでしょう。敗北を認めれば、8月14日か9月2日が終戦（敗戦）記念日になったはずです。それが別の日になったのは、戦った相手の存在を無視し、自分たちの主観で敗戦を「終戦」とすることで敗戦を認めず、天皇の責任を認めず、ただただその日を弔うことで懺悔とし、すべてを入れ換えてしまったからです。その時から、アメリカに負けたということも、アジアと戦争した（アジア、とりわけ中国に関しては、戦争をしたとさえ考えず、たんなる〝事件（事変）〟であったと考えた）ということも清算し、そのことですべての懺悔が済んだものとされ、世界史から外れ、日本史の中に封印されたのです。

もちろん8月15日は、後づけで考え出されたものであり、最初から終戦記念日だったわけではありません。マッカーサーは当初、９月２日を日本に対して敗戦記念日として押しつけたのですが、日本政府は旧盆と重なる日を選ぶことで、日本国民だけの「終戦記念日」としたのです。その意味でも、世界から隔絶した敗戦記念日となったわけです（朝鮮半島は南北とも8月15日が終戦記念日ですが、これは日本からの解放の日に合わせています）。

アジアの人々はこの戦争の終わりをいったいどう見ていたのでしょうか。中国では１５００万人が亡くなりました。これは日本人の死者３００万人と比べても桁外れです。それ以外の国を合わせると、実に多くのアジアの人々が亡くなっています。その意味で、彼らにとって日本軍の敗退は心から歓迎すべきことでした。

## アジア蔑視が表れた日本の戦争観

日本人の多くは、第二次大戦は世界大戦ではなく、意識のうちにアメリカとの2国間戦争だという思い込みがあります。その理由は、満州事変以降の中国との戦いを本来の戦争として認めてこなかったことが挙げられます。あれは中国にいる日本人を守るための局地戦であり、国際法上の戦争ではないということ、だからそもそも戦争などしていないという理屈です。

これは奇妙なことですが、そこには中国に対して、相手にする必要がないという植民地に対する侮蔑があります。私の父も中国に一兵士として長い期間従軍していましたし、日本人の多くは中国で戦っていたのですが、これがいわゆる戦争ではないというのは不思議でなりません。

また、日本軍は1939年にはソ連（ノモハン事件）、40年には英仏のインドシナに侵入しました。いずれもが植民地争奪戦で、これらも戦争ではないという認識です。唯一の戦争は、41年12月8日以降をもって始まったとされています。インドシナも中国も、同様に植民地争奪戦であり、植民地との戦争が戦争ではないとすれば、戦争は日本や欧米との間でしか起こり得ないものということになります。

この意味で、日本はアジアや植民地の問題において禍根を残すことになると同時に、アメリカ軍による戦後の単独占領に対してさえも疑問を持たなくなります。

ドイツでは、アメリカ・フランス・イギリス・ソ連による分割占領が行なわれました。その期間は、49年にドイツ連邦共和国とドイツ民主共和国が誕生するまでの4年間です。ドイツは全ヨーロッパと戦い、のちにアメリカの参戦もあったので、連合国軍による占領となったのですが、日本は実質的にアメリカ軍（他国の軍も参加していましたが）の占領となりました。しかも、マッカーサーがアメリカの代表であると同時に連合国軍の代表となったので、もっぱらアメリカ単独占領のイメージが刻印されてしまいました。さらに冷戦が始まり、アメリカによる介入が始まると同時に、アメリカ色が強く出てきます。

ドイツは連合国軍に占領されていたので、ヨーロッパ問題の修復ということで占領は終わります。しかし、日本はアメリカとの関係を優先することで、アジアとの関係を無視し、もっぱらアメリカへの許しを請うということになったわけです。

ドイツの戦後処理の大きな問題はユダヤ人問題でしたが、日本にはアジアにおける侵略の問題がありました。台湾、朝鮮半島、中国、満州、インドシナなどのアジア地域で行なったさまざまな行為に対する謝罪です。

最大の補償対象国である中国が請求権を放棄したのと、アメリカとだけ戦争をしたという日本側の認識が、対アジアへの姿勢を曖昧なものにしました（いくつかのアジア諸国には戦時賠償をしたのですが）。そこに朝鮮戦争（１９５０～53年）が起きて、アメリカ軍への関与と戦争特需が、さらにそれを見えにくくしました。アメリカ一国との戦争、アメリカだけに敗北したという意識、アメリカによる単独占領という誤認によって、これら対アジアの問題は忘れ去られることになったのです。

東京裁判は、連合国による28年のパリ協定に基づく裁判だったのですが、それがアメリカという一戦勝国による一方的裁判に見えてしまいました。欧米が、それ以前にアジアで行なったさまざまな残虐行為が許されているのに、なぜ日本だけが許されないのかという言い分は、なるほど一面では正しい。野蛮な国同士、つまりライオンの獲物の収奪戦であれば、それは「正しい」と言えるかもしれません。

しかし第一次大戦以降は、国際ルール上、植民地への進出は合法的に行なわれるようになっていたので、この論理は通らない。しかし、日本人の多くはこのことを十分に理解していなかった。中国への進出は植民地への進出ではなく、侵略戦争であり、その責任は厳しく問われるわけです。

これこそ慰安婦問題と南京大虐殺に象徴される問題で、アジアの各地域で行なったジュネーヴ協定違反が問われたのです。そうしてアジアの復興の責任が生じてきたわけですが、原爆を落としたアメリカの占領によって、日本人の意識は加害者から被害者へとすり替わっていきます。他方のアメリカは、アジアの国々に比べて日本による戦争被害をあまり受けていなかったので、アメリカ人の被害者意識は相対的に重いものではありませんでした。

このお互いのズレが原爆と空襲という問題として残ります。この問題は原爆を投下したB-29エノラゲイの展示問題とも関係していきますが、アジアの国から見たら複雑な問題です。日本という加害者が被害者に変わったわけです。また国家という枠組みに国民が閉じ込められた状態で、その問題が議論されることで、ますます国民としての意識が国民間の感情論となって衝突します。

## 科学者の奢り――原爆とユダヤ人問題

「原爆とユダヤ人問題」という見出しを不思議に思われる読者もいるのではないでしょうか。この2つは、そのほかの殺戮とは次元を異にしています。第二次大戦でユダヤ人は主にナチの絶滅収容所で600万人が殺され、広島、長崎の原爆投下では1945年末までに21万4000人が亡くなっています。

この2つは、近代そのものに対する決定的な疑義を投げかける問題です。18世紀の啓蒙主義に始まる近代合理主義の、ある意味で行き着いた結果が、この2つだと言えます。いずれも、科学が大きく関与しているのです。

第一次大戦によるショックも近代に対する大きなトラウマとなりましたが、それまでの階級社会を崩壊させ、大衆社会を現出し、民主主義や民族独立運動へと進ませたプラスの面がありました。

第一次大戦では多くの近代的兵器が生まれましたが、一瞬で都市を潰滅させるような武器は考えられませんでした。近代的な戦争であっても、ある意味、人々の合議によって解決できる問題だったと言えるでしょう。だからこそ国際協定（国際連盟）による解決策が可能であると考えられたわけです。

しかし、第二次大戦で登場した原子爆弾は、国家・大学・私企業などのすべてを包括する巨大組織によって製造され、それを保有することで他国への圧倒的な脅威となり、皮肉にも戦争することすら不可能になりました。原爆を持てる国と持たざる国の力関係は、今日に至るまで大きな問題として残っています。

それ以上に、それが近代科学の所産であるということに、大きなショックがあります。学問、教育や研究の向上は、人々の生活や文化の進歩・改善につながると思われてきました。人々が宗教的迷妄から脱し、啓蒙されれば、世界は民主主義と人権の支配する素晴らしいものになるという西欧啓蒙主義の主張が、近代科学の精華たる原爆によってすべて破綻しました。

17世紀に「知識は力なり」と説いたフランシス・ベーコン（1561〜1626）から、19世紀にはオーギュスト・コント（1798〜1857）や、サン＝シモン（1760〜1825）までのようなバラ色の未来社会を予測する言説が登場しました。コントは、神学から形而上学を経て、最終的に科学の時代に移ると高らかに主張しましたし、マルクス主義も「科学的社会主義」を標榜しました。科学が何事をも解決するという発想は、とりわけ社会ダーウィン主義や功利主義が支配的になる19世紀後半には一般化していきますが、不幸なことに日本の大学はそのころに誕生しています。

　だから科学的真理に対する素朴な信頼が根底にあり、科学主義が大学を覆うようになります。日本の大学では、哲学や人文学があまり顧みられないようになり、工学のような実用的な科学（経済学や法学も一面そうですが）が支配していきました。

エトムント・フッサール

フリードリヒ・ニーチェ

　しかし、こうした風潮に対して、19世紀後半から20世紀半ばにかけて活躍したエトムント・フッサール（１８５９〜１９３８）やアンリ・ベルクソン（１８５９〜１９４１）といった哲学者は根源的な批判を加え、物理学でも非ユークリッド的な発想が現れました。フリードリヒ・ニーチェ（１８４４〜１９００）こそは、近代そのものに対する最終的な審判者でもありました。

　科学は、ある一定の前提と仮説の上に成り立っています。その仮説が成り立たない世界では、別の世界が生まれる。真理はひとつではない。その新しい世界の可能性は数限りなく存在することになります。そこでは、我々は、切り取られた世界の断面を前提にしているにすぎません。科学を専門とする人間は、自分のものとは別の仮説に配慮し、それについて議論を深めなければ、ますます魂のない専門家になります。

マックス・ウェーバー（1864～1920）が『プロテスタンティズムの倫理と資本主義の精神』（1904～05年）の最後の部分で「専門官僚制と合理的法律を持つ合理的国家（鉄の檻）」と述べていますが、近代的な「鉄の檻」は、そこに機械的な科学の職人を生み出すのです。

マックス・ウェーバー

その機械的職人＝科学者が、自らが生み出すものの価値について考慮せず、ひたすら突き進んだ結果が、原子爆弾の誕生です。もちろん原子力の平和的利用という側面は、原爆創造によって生まれています。その意味で、原子力の平和利用とは、原子爆弾と相補関係にあります。神に匹敵する力を手にしたつもりの人間は、それを神のように善のためには使わず、悪のために使ってみたいと考えます。人間は神ではないからです。

原子力発電は、原子爆弾の製造過程から生まれたものであることが意味深いです。1945年の時点では、天然ウランを集積するコストより、プルトニウムを核分裂によってつくったほうが安上がりでした。濃縮ウランから核分裂でプルトニウムを発生させ、それを核爆弾に利用するとともに、分裂の際に生まれる莫大なエネルギーを発電に利用します。しかし、日本は核爆弾を持ちませんし、プルトニウムを再利用するプルサーマル計画は頓挫しています。よって、プルトニウムが溜まるばかりです。さらに、プルトニウムや核のゴミの最終処分の方法がわかりません。

このような次々と起こる不都合な問題を先送りし、糊塗して、科学の信頼性を捏造し、膨大な研究費がそこに注がれます。それを取り扱う科学者は英雄視され、巨大な国家予算を使う官僚や政治家がいつの間にか支配者となるように、やがて科学者も支配者へと変貌していくのです。まさにこうした事態が、原子爆弾の研究・開発のなかで生まれていったのです。

## 復興経済のためのユダヤ人虐殺

近代は殺戮方法を科学化しました。もっと言えば、兵器を科学化したおかげで、国家による予算配分が大きくなったのです。その結果として軍事技術の民間利用によって新しい製品が開発されました。戦後に訪れる電化生活や文化的生活は、まさに兵器製造技術から生まれたと言えなくもありません。そこが科学的な研究・開発というものの複雑さ、二面性を示しているのです。平和と戦争に資する２つの側面です。たとえば私のマルクス研究は、資本主義を擁護する側から見れば破壊的研究であり、許容できないものですが、貧困に苦しんでいる人から見れば重要な貢献をしています。

中世の大学は、今日のように専門分化した学部や学科などはなく、三学（文法、修辞学、論理学）、四科（算術、天文学、幾何学、音楽）によって成り立っていましたが、まさに根本から考えることを目標としていて、実用的ななにかを目的とした教育ではなかったのです。

しかし近代の大学は、学士号をもらい、明らかになにかの専門家になるためのものになりました。そこでは分野が小さく分かれ、特殊な専門知識を機能的に学びます。その結果、基礎的な共通分野がなくなり、頭脳のない道具的人間を育てることになります。こうした発想を「道具主義」と言いますが、近代の科学がそれを生み出したのです。

道具主義を徹底的に推し進めた実験が、ユダヤ人絶滅収容所でした。

拙訳のジャック・アタリ『ユダヤ人、世界と貨幣』（前出）では、ユダヤ人収容所における抹殺を「産業的抹殺」と呼んでいます。ナチも最初からユダヤ人を抹殺する意図を持っていたのではなかったのですが、次のような過程で抹殺にまで至りました。

第一はユダヤ人の財産没収、次に強制労働、そして収容所、最後に抹殺です。ただしこれらの経緯とそれぞれの処置は、きわめて冷静に科学的な理由をもとに遂行されたことが重要です。ユダヤ人の財産没収は、恐慌下にあったドイツの経済復興に必要であるとされ、やがてこれがただ働きの強制労働へと移り、戦争開始によるポーランドなどへの侵攻に伴う捕虜の増大に対処するための収容所の設置と、そこでの人員減らしのための殺処分に至ります。これらは、冷徹・合理的に、まるで家畜の量を調節するように行なわれたことが深刻な問題なのです。

ユダヤ人問題の〝最終解決〟は1942年1月20日に下されます。その時、ハインリヒ・ヒムラー（1900～45）は、収容所での殺処分について、「収容所は次の週から経済的大問題に

ハインリヒ・ヒムラー

取り組むことになろう」（前掲書、542ページ）と述べています。

ユダヤ人殺戮は、経済的問題にすぎなかったのです。そして最も効率のいい殺戮方法としてIGファルベン、デグサ、ゴルドシュミットの各化学会社が株式を保有する殺虫剤会社デゲッシュが、「チクロンB」を開発し、デッサウ市のデッサウアー・ヴェルケ社と、ケルン市のカリヴェルケ社の工場で量産体制に入ります。

ユダヤ人はガス室を備えた収容所に移送されるのですが、その費用すら彼らが自ら払い、彼らの衣類や宝石類は、すべて国家が取り上げ、それをドイツ経済に役立てるという、きわめて過酷で効率的な制度ができ上がります。

ユダヤ人虐殺は、決して発作的な狂気によって行なわれたものではなく、冷徹な論理によって行なわれました。ドイツ経済の復興のために、アーリア人以外の劣等民族の排除・追放、その後の彼らの財産の没収、そして強制労働、殺戮は、経済的効率の論理に貫かれていたのであり、殺戮を嗜虐的にやっていたわけではないということです。その意味で、近代的科学が利用されていたのです。

原子爆弾とユダヤ人虐殺は、ともに「科学的合理性」という言葉・概念を十分に検討するこ

アドルノ（右）とホルクハイマー

となく使用している点において、20世紀の問題が典型的に現れています。それぞれの担当者は、合理性を追求して原爆やガス室をつくったのです。しかし、それが人間に対してなにをもたらすことになるかについては、配慮されることはない。もちろん、このような配慮をしていては、自らも過酷な処遇を受けるという限界状況があったのでしょう。しかし、人間の大量虐殺に対する心の痛みはどこに行ったのかという問題が残っています。

戦後の最大の問題は、近代がもたらす負の遺産、機械化し、無機物となっていく文明の進歩による危機です。テオドール・アドルノ（1903〜69）とマックス・ホルクハイマー（1895〜1973）は、戦後すぐの1947年に書いた『啓蒙の弁証法　哲学的断想』（徳永恂訳、岩波文庫、2007年）の冒頭でこう述べています。

「じつのところ、われわれが胸に抱いていたのは、ほかでもない。何故に人類は、真に人間的な状態に踏み入っていく代わりに、一種の新しい野蛮状態へ落ち込んでいくのか、という認識であった。（略）近代科学の営みのうちでは、偉大なる発明は、理論的教養がますます崩壊していくという代償をはらって購われる、ということに何年も前から気づいてはいた」（前掲書、7ページ）。

## 戦後に残された問題——Quid Pro Quo（見当違い）

アルベルト・アインシュタイン（1879〜1955）は、1948年に「知識人に対するメッセージ」のなかで次のように述べています。

「我々科学者は、殺りく方法をより残忍に、より効果的にすることを助けるという、悲劇的な運命を担ってきたのであります。それらの武器が発明の意図であった残忍な目的に用いられることを防止するために、自分たちの全力を傾けることを自らの崇高な、そして卓越した義務と考えねばなりません」（『晩年に想う』（中村誠太郎・南部陽一郎・市井三郎訳、講談社文庫、1971年、179ページ）

アインシュタイン

第二次大戦後に残された問題は、近代人のこの野蛮さにどう対処するかでした。広島、長崎に原子爆弾を落としたアメリカは、まさに近代主義のチャンピオンです。

彼らは、原子爆弾は野蛮な日本に向けて、警告の意味で落としたと言うでしょう。しかし、弱り果て、敗北も近い国に、はたして原子爆弾を落とす必要はあったのか？　それも2発も。その意味では日本人が原爆投下を非難する理由はたしかにあります。

アメリカもここで戦争の終焉と原子爆弾という問題を見当違いしていると思われます。

近代科学の非情さは、近代科学を支える人間世界の非情さでもあります。民主主義と言いながら、非白人に対する人種的偏見があったのではないかという立論は、〝名誉白人〟の称号を誇りにしている日本人には受け容れたくないとしても、これは世界の多くの人が、日本人に対して抱いている意見だと思われます。そうなると、人種的偏見の問題は、当然、日本人にも跳ね返ってきます。アジア人に対する偏見を、日本人は欧米人と共有していたからです。アジアの民族独立運動に対して、我々がどのような態度で見ていたのかという問題に跳ね返ってくるのです。

戦後アジアの国々に独立運動が起こります。アジアの民族独立は、西欧社会のアジアに対する理不尽さへのマニフェストであり、本来、〝大東亜共栄圏〟で偽りのアジアをうたっていた日本は、アジア諸民族独立の先頭に立たねばならなかったのです。

戦後を彩るものは、ヒューマニズム、そしてマルクス主義でした。この2つは、戦前のファシズムに対する反動であり、1960年代までの運動を支えます。

# 第9章

# 社会主義の拡大と変質

## ——一国社会主義の限界

「したがって共産党の指導はつねに正しいのであり、1929年スターリンが政治部の決議は満場一致をもって採択されるものであると声明して彼自身の権力をつくりあげて以来、常に正しかったのである。共産党の鉄の規律はこの絶対誤らずという原則に基礎をおいている。二つの考えは事実上お互いを支持しあっている。規律が完全であるためには、規律のことを認める必要がある。絶対に誤りを犯さないということを認める必要がある。絶対誤りを犯さないということが成立するためには、規律の遵守を必要とする」（ジョージ・ケナン『アメリカ外交50年』近藤晋一ほか訳、岩波現代文庫、2000年、173ページ）

## 戦後の世界

第二次大戦による大きな被害によって、戦後の世界は大きく変わっていくのですが、しかしある意味変わらなかった部分も多かったとも言えます。

変わったといえば、まずそれまで植民地だった地域が独立していったこと（現在、明確な植民地は存在しません）、世界平和の実現を目的とする国際連合という組織ができたこと、ＩＭＦ（国際通貨基金）体制といったドル基軸による新しい経済制度と社会主義国におけるコメコン（経済相互援助会議）体制が構築されたこと、などです。

戦前から継続的に発展、あるいは強化されたものも多くありました。それは国民国家の形成と、国家による指導体制の強化ということです。植民地の独立も、国民国家を世界に拡大することと同様であって、国連も国家の集合体であり、ケインズ的経済政策は国家による保護体制です。社会主義も含め、すべて国民国家による経済体制であり、国家権力の維持拡大でした。

すでにナチス体制のところで述べたことですが、戦後、「総力戦体制」が継続されたことを確認しておきましょう。１９１７年のロシア革命、29年の世界大恐慌の影響を受け、多くの国で保護主義的体制が導入されました。社会主義か資本主義かを問わず、国家が国民を守るという概念は、ヴィクトリア時代（１８３７〜１９０１年）のイギリスを典型とするような国家体制では、とても考えられなかったことです。そこでは「夜警国家」、つまり最低限の保守で済まそうとする安価な国家が一般的だったからです。

国家がすべてを統括する「総力戦体制」――ナチス体制は資本主義における総力戦体制を採った全体主義国家でしたし、ソ連も一国社会主義による総力戦体制国家であり、アメリカも戦時に備えた総力戦体制の国家でした。

戦後こうした体制は、ケインズ主義的な国家主導による経済政策によって、資本主義圏でも一般化していきます。ヨーロッパで進む福祉型国家体制も、こうした総力戦体制の残滓であったと言えます。国防や治安維持以外の教育・保健・福祉・雇用などを国家の資金で維持するということは、アダム・スミスの「夜警国家」を否定することであり、それは国家の肥大化を招き、国家主義を強化します。

## 国民国家の増大

そのことは社会主義においても同じで、政治形態や経済形態が異なっても、資本主義国同様、国家主義というものが支配することになります。

社会主義は、もともと国民国家を越えたインターナショナルなものですが、第二次大戦を境に国民国家的なものに変容していきます（一国社会主義）。資本主義も世界市場を問題にする以上、同じくインターナショナルなものですが、戦後復興、そして冷戦という環境下で、国民国家的なものに変容していきます。

復習を兼ねて説明すると、国家は16世紀の西ヨーロッパの所産です。国民国家が生まれる前に存在していたのは、帝国でした。宗教によるか、強い民族によるかは別として、帝国の内部に国民国家は含まれていました。イギリスとフランスが初めてそこから抜け出し、独立した民族・宗教・言語的な集団によって国家をつくります。その頂点に立つのは国王で、絶対主義王政の確立がその完成形態です。それ以前は、そうした地域を支配するのは領主であり、それがローマ法王によって王と認められるものでしたが、新しい国家は神聖ローマから離れ、独立したものになります。

しかし、ヨーロッパのほとんどの地域（中東欧）では、帝国が残存し、国民国家は形成されませんでした。国民国家の形成を促進したものが第一次大戦でした。繰り返しになりますが、ヴェルサイユ条約（１９１９年）によって、中東欧に新しい国民国家が形成されたのです。

しかしこのように誕生した国家は、きわめて複雑な問題を抱えていました。それは、第一次大戦で敗北したドイツ帝国、オーストリア帝国からの戦利品としての領土略奪によって生まれた国家形成だったからです。

もっとも、東欧を見ればわかりますが、帝国時代に多くの人々が移民することで生まれた町が、そこかしこにあります。帝国は、言語統一・民族統一・宗教統一にはあまりこだわらないので、移民した地域にも大した問題は起こらなかったわけです。

民族の自主権をまともに実現しようとすると、まとまることができないというのが現実です。そこで、「民族」というものを言語・民族・宗教などによって、想像的につくり上げねばなりません。少数民族が入り組み、宗教や言語が多様な東欧で、それを実現することはほぼ不可能なのですが、無理矢理に行なったのがヴェルサイユ条約でした。そこで生まれた矛盾は第二次大戦で爆発し、その解決は戦後に持ち越されました。

## 矛盾を抱えたままの国づくり

東欧では、第一次大戦中に亡命していた民族主義者たちが帰国し、それぞれの国をつくるのですが、そこに戦争の処理、民族間の対立などが絡み合い、複雑な国家が成立します。

たとえばチェコスロバキアを見ます。歴史によると17世紀に「白山（はくさん）の戦い」（１６２０年）によってチェコはオーストリアの一部になるのですが、チェコの領域にはドイツ支配の地域（ズデーデン）、オーストリア支配の地域（モラビア）、ハンガリー支配の地域（スロバキア）などがあって複雑です。ズデーデン、ボヘミア、モラビア、スロバキア、ルテニア、いずれを取ってみても、それぞれの文化はまるで異なるものであって、これらを統一するのは至難の業です。同じことは、ハンガリー、ポーランド、ユーゴスラビア、アルバニア、ギリシア、ブルガリア、ルーマニアにも言えます。国内における民族対立は、隣接する国外の地域とも関係しています。こうした矛盾を抱えたまま、とりあえず国民国家を形成したというのが実情です。

第二次大戦は、これらの国家を解体し、再び旧帝国のなかに吸収してしまったようなものです。イタリアとドイツは、東欧地域に進出し、自国の一部にしていきます。たとえばユーゴスラビア王国のクロアチアはドイツとなり、ナチスを支持する民族主義のファシズム政党ウスタシャが支配します（1929年）。他方、これに敵対するチェトニック（軍事抵抗組織）とパルチザンがいて、やがてソ連軍がそれに参加することになります。また、アメリカやイギリスも、ここに後方支援をすることになります。

東欧は、第二次大戦中、大方がドイツとソ連の東部戦線の地域となります。ソ連はスターリングラード攻防戦（1942～43年）以降、攻勢に転じ、バルト、ポーランド、ルーマニア、ブルガリアと、少しずつドイツの支配地域を後退させていきます。ほとんどはソ連軍が中心でしたが、バルカン地域は山が多いので、パルチザンが展開します。

パルチザンも、西側陣営から支援を受けるもの、ソ連から支援を受けるものと分かれるのですが、パルチザンが強かったユーゴスラビアやアルバニアは、独自の国家建設を始めます。一方、そうでない地域は、大方ソ連の支配下で国づくりを進めます。

## 東欧の地勢

東欧（バルト三国とフィンランドは除きます）の地図を見ると、いくつか重要なポイントが見つかります。まず河川をみていくとドナウ河はドイツのバーデン・ヴュルテンベルク州を発し、バイエルン州を通り、オーストリア、スロバキア、ハンガリー、セルビア、ルーマニアへと流れていきます。エルベ（モルダウ）河はチェコからドイツへと流れます。ヴィスワ河だけがポーランド国内でほぼ収まります。河川は交通の要衝です。運河がないとすれば、文化は河に従って進みます。つまり、ドナウ文化圏やエルベ文化圏があるということです。

山脈を見てもトランシルバニア、カルパチア山脈が、東欧をオリエントと隔絶しています。しかし、ポーランドはロシア、ウクライナ、ドイツとの間に山脈を持ちません。平野はポーランドとハンガリーが独占しています。ポーランドを中心にした文化圏は、ドイツ、ロシア、ウクライナ、チェコを含み、そしてハンガリーを中心としたオーストリア、スロバキア、スロベニア、クロアチア、セルビア、ルーマニアの文化圏があります。

また歴史的に見ると、この地域はローマの崩壊以後（4世紀）は東ローマ帝国の圏域にあったことで、正教会が普及しています。また15世紀からオスマンが支配し始め、イスラム文化も入っています。勢いのあったトルコは16世紀と17世紀にウィーンまで来ています。しかし、やがてカルロヴィッツ条約（1699年）によって、トランシルバニア山脈をはさんでトルコとオーストリア・ハンガリーは棲み分けます。

しかし、ロシアが南下し、その支配が拡大します（1853年のクリミア戦争）。オスマンの力の弱まりは、英仏の侵入を呼び、やがてオーストリア、ドイツの巻き返しが起こり、それが第一次大戦を生み出します。

要するにこの地域は、つねに列強の回廊とされ、西ヨーロッパと東洋、ロシアをつなぐ要衝でもあったわけです。

「バルカニゼーション（Balkanization）」という言葉がありますが、これは小さい国に分かれ、対立し合うことを言います。これらの地域は大国の影響のもとでは植民地を形成し、それが崩壊すると、小さな国々の抗争に明け暮れることになります。

第二次大戦が終わったとき、まさに再び小さな国が分裂抗争を始める状況にあったわけです。

## 親ソ派のソ連観

ソ連は、スターリンが支配するようになり、急激な重工業化を進めます。いわゆる社会主義のイメージがあるとすれば、このころのソ連のイメージが大きいでしょう。計画経済と一党独裁によって国家を発展させ、ロシア以外の地域を連邦として領土に加え、巨大な連邦国家として領土を拡大していくやり方は、「スターリン主義」の特徴と言えるかもしれません。

しかし、ソ連は社会主義の象徴であり、また理想社会の象徴でもありました。実態がわからないまま、労働者国家、マルクス主義国家、いわば19世紀の社会主義者や共産主義者が考えた理想社会を実現した国家としてのイメージを、世界の人々の目に焼きつけていました。

第二次大戦直後にソ連を訪れた人々は、ソ連をどう見ていたのでしょうか。すでに述べたアンドレ・ジッドが書いたソ連訪問記とは違い、それらの多くでソ連に批判的なものは少ないようです。

これから紹介する日本の大内兵衛（1888～1980）と、イギリスのS・M・マントン（1902～79）の2つのソ連訪問記は、ともに岩波新書になっていて、戦後日本人のソ連に対する一般的なイメージを形成する役割を担ったものだと思われます。これらは当然、スターリン批判以前の訪問記です。

「ソ連では、それ故に、学問と教育は統一したシステムの下にあるのである。（略）学問の課題が国家によって与えられるというのはおかしいというものがある。真理は権力の支配を好まない。（略）ただ、私は、ロシアや中国の学者の右のような考え方には、一定の現実的理由があると思う。（略）そこでは国家は社会全体のため、そこでの人民の全生活のためのものであり、国家の活動目標、その欲するところが、直接に人間本来の要求、社会的な共同の幸福であって、学者が学問をする目的、教師が人間を教育する目的もまたそれだという建前である。（略）われわれは個人主義であり、かれらは社会主義である。少なくともかれらは社会本位である。そういう国家の学者が、教育者が、その生存、生命、使命を国家のためと考え、それに自己の研究をささげることを以て不自然とも不自由とも感じないのは当然である」（大内兵衛『社会主義はどういう現実か』岩波新書、1956年、127～129ページ）

この本が出版されたとき、ソ連ではスターリン批判の真っ最中だったのですが、大内氏の考えは1950年代当時の知識人に一般的なものだったのかもしれません。

しかし、やはりこれはちょっと理想化しすぎています。学問はたとえ国家がどんな形態であっても、その下僕になるべきではない。国家とは誰かを代表する以上、全国民などではなく、権力そのものなのです。プロレタリア独裁＝共産党支配＝国家＝人民などという定式は成り立たなくなります。ある意味、これは自己同一性を言ったにすぎず、すなわち同義反復になっているのです。

とはいえ日本人には、国家＝国民という考えがあり、国立大学＝国民の大学という意識が根底にあります。おまけに、大内氏がその一員となって同書を書くきっかけとなった訪ソ代表団は、日本学術会議の議長をはじめとするグループで、しかもそのメンバーの帰属大学はすべて国立大学であったことを見れば、日本における「学問の自由」に対する考えもソ連とあまり変わらないと言わざるを得ません。

私は私学出身ですが、学問に国家のお墨付きはいらないし、あってはならないと考えます（私の学問論については、『最強の思考法「抽象化する力」の講義』〔日本実業出版社、2018年〕をお読みください）。

19世紀のエチエンヌ・カベー（1788～1856）に『イカリアへの旅』という書物がありますが、そのイカリア訪問記を彷彿させます。カベーの本にはイカリアという理想的な社会のシステムが描かれています。

エチエンヌ・カベー

## マントン女史のソ連観

前述のS・M・マントンの著書からも紹介しておきましょう。マントン女史は、イギリスの学会のグループに参加し、ソ連を訪問しました。その著書には次のような一節があります。

「ソ連国民の指導者に対する尊敬は、ほとんど英雄崇拝の域に達しているが、これはソ連の遂げた大きな発展を考えれば、容易に理解することができる。どこへ行っても、指導者たちの大きな肖像画が飾ってあるのは、外国人にとっては嫌味であるが、ソ連国民はそんな感じをもたない」（『今日のソ連』皆藤幸蔵訳、岩波新書、1954年、170ページ）。

スターリンが祖国戦争（対独戦をそう言います）に勝利したとき、彼はまさに英雄でした。そして、その後の大粛清の実態や、東欧での圧力が明るみに出ていくなかで、スターリン人気は陰り、堕ちた偶像になっていきます。

女性科学者のマントンは、ソ連における女性の地位や生活の改善を強調しています。たしかに、ソ連には看過できない政治的問題があったとしても、教育・保健衛生・所得においては大きな改善があったことも事実です。いや人々の生活の改善という点では、きわめて大きな貢献をしているのです。

倉持俊一は『ソ連現代史I』（山川出版社、1980年）のエピローグで、戦後日本のソ連への熱狂をこう述べています。

「戦後、スターリン批判まで――昭和二〇年代――の知識人のあいだのムードを知る者として今昔の感にたえない。たとえば当時、大学生のあいだでは、日本の真の再生の途は〝社会主義〟の実現以外にないと信ずる者が多く、また世界でただ一つの社会主義を実現している国としてソ連を、憧憬をもって眺める者が多かった」（342ページ）

今でこそイメージがダウンしていますが、ソ連が光り輝いていた時代があったことも、忘れてはなりません。しかし、ソ連の真実をゆがめ、我々に理想的な面だけを見せようとしてきた歴史があることも忘れてはならないでしょう。

## 東欧の国々の共産主義化

戦後、社会主義は東欧を中心に広がっていきます。その根底にはソ連軍の東部戦線における支配があったことは事実ですが、そのありようは各国ばらばらであったと言えます。

まずバルカンを見ると、すでにモスクワ留学組が活躍していたブルガリアやルーマニアは、早期にソ連主導型の社会主義体制が進んでいきました。しかし、そのスピードでは、ユーゴスラビアのほうが早かったと言えます。

チトーは、当時はソ連と友好的な連携を図っていたので、1945年11月29日には、ユーゴスラビア王国からユーゴスラビア共和国へと転換し、社会主義国家となります。この日は、「共和国記念日」となり、毎年日本のユーゴスラビア大使館でも祝賀パーティーを開いていました。

コミンフォルム（1947年に設立された国際共産主義運動を担う「コミンテルン」の第二次大戦後の後継機関）の一員として、国有化などかなりのスピードで社会主義化していったのは、実は東欧の中ではユーゴスラビアだったのです。同じバルカンの国のアルバニアも、エンヴェル・ホッジャ（1908〜85、労働党第一書記、首相を歴任）がソ連型共産主義を進めていきますが、こ

エンヴェル・ホッジャ

ドラジャ・ミハイロビッチ

の2つの国は、かたちは異なるものの、やがてコミンフォルムから脱退していきます。

ユーゴスラビアは、チトーの共産党が政権を握り、チェトニック（前出）の指導者ドラジャ・ミハイロビッチ（1893〜1946）を処刑、粛清を行ない、コミンフォルムの本部を首都のベオグラードに置くことになります。

きわめてスターリン的でもあったユーゴスラビアが、1948年にコミンフォルムから脱退するという事件が起こります。ユーゴスラビアはパルチザン組織が解放したという意識があったのに、ソ連はそれを指導するとして内政に干渉してきました。ユーゴスラビアは、戦前にオーストリアやハンガリーに対して、チェコスロバキア、ルーマニア、ブルガリアと協商関係を結んでいましたが（対オーストリアを目的として）、戦後すぐにそれを継続する相互条約を結びます。もともと「バルカン国家構想」は、20世紀前半のバルカン戦争でトルコから領土を奪還したときに生まれたもので、そうした新しい組織を立ち上げるという構想が、ソ連の不信を買ったとも言えます。

こうしてソ連側の顧問団がユーゴを引き揚げることになり、その関係が悪化し、ソ連から「右翼日和見主義（ひよりみ）」の烙印を押されます。

この結果、ユーゴと協力していたアルバニアが、皮肉にもソ連側に残るということになります。アルバニアは、ユーゴと共同して社会主義化を図っていたのですが、ユーゴの離反によって、ユーゴに近い反ホッジャ派が粛清され、やがてホッジャが実権を握ることになり、東欧で唯一のスターリン主義国として異彩を放つことになります。

ギリシアもユーゴスラビアの支援を受け、社会主義化を進めようとしていたのですが、イギリスの支援とユーゴのコミンフォルムからの離脱によって、西側陣営に残ることになります（オーストリアもソ連の支配下にあったのですが、中立国になるという条件でソ連圏から離れました）。

チトーは、ユーゴをコミンフォルムから脱退させた後、チトー主義を築き上げていきます。チトー主義は、ユーゴを「右翼日和見主義」と批判したソ連を「官僚主義国家」と規定し、ユーゴスラビアはそれとは逆に民主化と分権化の国家であると強調します。１９５０年に労働者評議会が設立され、企業の自主管理体制を築き、集団農場からの離脱が実施されていきます。一方で51年にはアメリカとの間に軍事協定が結ばれ、ギリシアへの支援をやめ、西側へ接近していきます。

ゲオルギュ＝デジ

ルーマニアは48年に社会主義国となり、書記長のゲオルゲ・ゲオルギュ＝デジ（１９０１～65）のもとでソ連化、反ユーゴスラビア化を推し進めます。

ゲオルギ・ディミトロフ

ニコラエ・チャウシェスク

ブルガリアも、ゲオルギ・ディミトロフ（1882～1949、閣僚評議会議長・首相）のもと、48年に社会主義国家となります。

ルーマニアとブルガリアでは、ソ連＝スターリン型の独裁政権が形成され、やがてニコラエ・チャウシェスク（1918～89）のような独裁者を生み出すことになります。

ポーランドはルヴィフ（ルヴォフ）といった都市を含む東の部分をソ連側に取られ、その見返りとしてヴロツワフ（ブレスラウ）といった都市を含むドイツ側の領土を取るかたちになり、国土が大きく西（オーデル－ナイセ線）へズレることになります。この問題が現在のウクライナ問題（西のポーランド系と東のロシア系との対立）にも影を落としています（ウクライナには多くのカトリック教徒、ポーランド人がいます）。

そもそもソ連は、第二次大戦後、ユーゴスラビア、アルバニア、ブルガリア、東ドイツを除くポーランド、チェコスロバキア、ハンガリー、ルーマニアに対して自らの国境と接するように領土を取り上げます。東欧諸国でなにかがあれば、すぐにソ連軍が侵入できるという体制が構築されたわけです。

領土に関して言えば、両大戦以後も不満が解消できず、根深い問題が残存しました。そのことが相互の不信を生み出す結果になり、逆にそれがソ連にとっては好都合でもあったわけです。

ポーランドの戦後はソ連支配のなかで始まります。ポーランド共産党、農民党、社会党の連立から始まり、最終的には共産党の支配が確立しますが、その中心にいたのがヴワディスワフ・ゴムウカ（１９０５～82、統一労働者党第一書記）です。ゴムウカは、多党制、中小企業やカトリックの残存を前提とした穏やかな社会主義路線を進めますが、次第にソ連の圧力でチトー派だと考えられ、やがて失脚し追放されます。その後、ポーランドはソ連的な計画経済と政治体制に支配されていきます。

チェコスロバキアは、ロンドンに亡命政府を率いるエドヴァルド・ベネシュ（１８８４～１９４８）がいて、

ヴワディスワフ・ゴムウカ

エドヴァルド・ベネシュ

トマーシュ・マサリク

国内にはソ連の力を得た共産主義勢力が存在するというかたちで戦後が始まります。ベネシュは初代大統領のトマーシュ・マサリク（1850〜1937）時代の外相でもあり、辣腕の政治家でしたが、ソ連と共産党との協調路線を採りながら、西側型の自由主義と社会主義との統合というスタンスで臨みます。選挙も実施し、チェコでは共産党が優位を占めていたのですが、スロバキアでは民主党が圧倒的でした。しかし48年、政権内部のクーデタと労働組合の決起によって一気に共産化が進みます。

第二次大戦でナチス側について戦ったのがルーマニア、ブルガリアそしてハンガリーです。かつての宗主国ハンガリーは、戦後の選挙では共産党は少数派でしたが、ソ連による賠償金免除などにより、次第に共産党が力を持ちます。47年の選挙で勝利した共産党は、やがて他党を解散と追放政策で潰していきます。ラーコシ・マーチャーシュ（1892〜1971）を中心とした共産党は、49年に新憲法を採択し、共産主義国家が成立します。

## 東ドイツ成立の特異性

東欧のなかで特異な国が東ドイツです。東ドイツは、ドイツの一部であり、ドイツ連邦共和国と分離するかたちで、ドイツ民主共和国として成立します。東ドイツはソ連が支配したメクレンブルク＝フォアポンメルン、ブランデンブルク、ザクセン、チューリンゲン、ザクセンアンハルトによって構成されます。ポーランドにブレスラウ（ヴロッワフ）やポーゼン（ポズナン）などの東部ドイツが取られたことで小さなドイツとして出発します。

首都ベルリンは、イギリス・フランス・アメリカ・ソ連の４か国の占領支配を受け、このような首都の政治的位置が東ドイツの政治的位置を規定することになります。ベルリン封鎖とマーシャル・プラン（第二次大戦後、ヨーロッパ諸国のために、アメリカが推進した復興援助計画）による東ベルリンの孤立化が、東ドイツ、東ベルリンをよりソ連に近づけることになります。

また東ドイツは、マルクス主義国家として成り立っていました。東ドイツは、西側のドイツ社会民主党から分岐したドイツ共産党の牙城でもあります。共産党が戦前から大きな力を持っていた（１９１８年、ローザ・ルクセンブルクやカール・リープクネヒトが共産党を創設していました）ことで、ソ連との融和もある意味可能であったわけです。

ヴァルター・ウルブリヒト

東ドイツの社会民主党は、共産党と合同して統一労働者党をつくり、それが多数派となりました。ソ連が没収した財産は、そのまま東ドイツ資産となり、すんなりと社会主義化が進みます。ハンガリーの場合と同様、ソ連は賠償金や国家資産を供与するというかたちで東ドイツを優遇し、統一労働者党に有利な政策を進め、ヴァルター・ウルブリヒト（1893〜1973）体制により、社会主義化はさらに進んでいきます。

## ソ連という国の意味

ソ連の東欧進出は、社会主義の拡張という大義名分とロシアの勢力拡大というテーマを実現しようとする過程でした。ポーランドやウクライナを確固たる防波堤にすること、高度な工業技術を持ったチェコ・東ドイツ・ハンガリーを自らの手中に収め、バルカン諸国を通じてロシア時代から念願の南下を実現することが、ソ連の目的でした。地中海への連絡口を確保し、バルト海を支配する。またドイツという宿敵を、厚い東欧という緩衝地帯で防ぐ。

これは東欧諸国にとってみても、ヴェルサイユ条約によって生まれた国家を、ドイツやオーストリアという宿敵から守ることになったわけです。ソ連が背景にいれば、ドイツやオーストリア、イタリアの横暴を防げます。

ロシアと同様に正教会を信仰するのが、ブルガリア、セルビア、ルーマニアです。一方でカトリックやプロテスタントの地域もあります。この複雑な地域を、ソ連の社会主義がとりあえず安定させる役割を担いました。

しかし、それは西側との分断、東欧諸国（地域）間の憎悪ももたらしました。スラブ民族であるという共通性は連帯になり得ませんし、反ドイツも連帯をつくる力にはなりませんでした。

それよりも大きな問題は、ソ連の外交政策が胚胎する猜疑心でした。

ジョージ・ケナン（１９０４〜２００５）は、ソ連が孤独であることを批判しています。国家が文化的・政治的・経済的な中心になるためには、隣国に信用されねばなりません。ところがソ連は、そのような訓練を受けておらず、領土侵犯と政治介入というイメージがぬぐえない国です。

ベルリンの壁の崩壊とソ連の解体以降、ロシアを慕う国が少ないのはなぜか。１９８０年のモスクワ五輪で、アメリカや日本などが参加しなかったことを受けて、ソ連の住民が「なぜソ連に来てくれないの」と言っていたことを思い出します。もちろん、84年のロサンゼルス大会では、ソ連などが参加しなかったのですが。

ジョージ・ケナン

しかし、今でもロシアに対して西欧が持つイメージの悪さは、たとえ19世紀に意図的につくられたものだとしても、この国の底知れぬ猜疑心にあることは間違いありません。

当然ながら、こうした東欧がいつまでもソ連の衛星国の位置に留まるわけがありません。

１９７８年、初めて私がチェコスロバキアを訪問し

プラハの春（炎上するソ連軍戦車と国旗を掲げるプラハ市民）

たときの、プラハに漂うなんとも言えない冷たささを思い出します。68年の「プラハの春」から10年後、まさに動乱のあった8月でした。町はよどんでいました。

それから数回、同地を訪問していますが、今ではそのよどみはなくなっています。やはり東欧とソ連は、親和的ではなかったということです。

# 第10章

# 二重性のアメリカ

——1945〜1960年

「初期の冷戦を動かしたのは、アメリカが世界で果たすべき役割について根本的に異なる二つの見方の衝突だった。20世紀を「アメリカの世紀」ととらえるヘンリー・ルースの覇権主義的な展望と、「市井の人々の世紀」ととらえるヘンリー・ウォーレスのユートピア的な展望が、ぶつかりあったのだ。この対立の行方にかかっているものはきわめて大きかった」（『オリバー・ストーンが語るもうひとつのアメリカ史　2』前出、9〜10ページ）

## アメリカという国

第二次大戦の勝利は、アメリカに巨大な力をもたらしました。それはアメリカ人自身にも想像できなかったことかもしれません。それは栄光の物語であると同時に、それに耐えるために世界の超大国でなければならないという苦痛もアメリカにもたらします。この光と陰はアメリカ人に、国民国家としてのアメリカと、世界の超大国としてのアメリカという二重性を刻印し、偉大なる世界国家アメリカと、孤立する国民国家アメリカの矛盾を突きつけます。アメリカは国民国家なのか、いや帝国なのか。答えはその両方であるということです。

一国民国家としてアメリカを見ると、それはWASP（ワスプ）、いわゆる白人、アングロサクソン、プロテスタント、そして英語を話すという括りに収まる非常にコンパクトな国家になります。なるほど支配層は今でもこのコンパクトな閉鎖社会を形成している。しかし、一方でアメリカは、18世紀までのアフリカ系奴隷移民、19世紀に始まるヨーロッパ系移民、20世紀に引き継がれるそれ以外の地域からの移民によって成り立つ多民族国家であり、宗教・言語も多様です。18世紀までのアメリカは東部地域に限定されており、中部のフランス系、西部のメキシコ系から隔絶した社会であり、人口も少数だったのです。

現在のアメリカは人口3億人以上の大国ですが、第一次大戦後は1億人、第二次大戦後は1億4000万人であって、現在の日本と比べてもさほど人口の多い国ではなかったのです。独立した当時は400万人の小国でしたが、1830年代に1000万人を超え、南北戦争（1861〜65年）のころは3000万人でした。アメリカは、まさに移民によってできた国であることがわかります。

しかし、最初に植民したイギリス系を中核とする東部社会、その後に続くドイツ系などのプロテスタント、それ以降のイタリア系、アイルランド系などのカトリック、そしてロシア系などの正教会、アジア系の仏教、儒教といった時系列に沿ってステータスが形成され、最後に最も古くからいる原住民と黒人が最下層として社会が形成される階級社会でもあります。もっとも、ドイツ系とともにアメリカの地にたどり着いたユダヤ人は、この階梯を戦後一気に駆け上がりました。

政治・経済・軍事という観点から見ると、第二次大戦後のアメリカはとても大きな国です。GDPの世界における占有率で見ると、アメリカの大きさがわかります。少なくともヨーロッパ、日本の経済が復興する1960年代までは、世界経済の半分近くを占める国でした。軍事力も原水爆の製造、世界各地に展開する軍事基地など、圧倒的でした。政治的には、国連の常任理事国であるに留まらず、〝世界の警察官〟として強大な影響力を持っていました。

## 開かれた部分と閉じられた部分

もともとアメリカは、ヨーロッパの飛び地として発展していったのですが、ある意味では、非ヨーロッパの国でもあったわけです。歴史が浅く、伝統が乏しかったことで、徹底した合理主義精神の国になったこと、そしてヨーロッパでの差別に不満を持つ者が憧れた宗教的自由の国、平等な国として、ヨーロッパ（の飛び地）でありながら、その〝ユートピア〟として存在していました。

アレクシ・ド・トックヴィル（1805〜59）は『アメリカのデモクラシー』（松本礼二訳、岩波文庫、2005年）のなかで、アメリカの特徴は自由であり、それは条件の平等に現れていると述べています。完全平等ではないが、機会は平等であるという点が、この自由の特徴だというわけです。〝アメリカンドリーム〟はまさにその点に特徴があります。

ヨーロッパのような身分・人種・慣習の違いがなく、社会が開かれている。しかし一方で、ヨーロッパと同じ価値観・伝統・慣習も持ち併せている。東部の街はミニ・ヨーロッパと言っていいし、食物・文化・価値・学問・社会制度などは、大方をヨーロッパに負っている。

それゆえに本来、アメリカは非ヨーロッパ系には開かれた社会ではなく、そこにWASPのような存在が君臨する理由があります。プリンストン大学などのアイビーリーグの大学のキャンパスを見ると、オックスブリッジ（オックスフォードとケンブリッジの合成語）とそっくりです。いわば「ミニ・イギリス」なのです。

自由と閉鎖の二重性は、白人の中産階級と貧しい移民の分離に表れています。この2つは〝橋のない川〟のように、今でもアメリカ社会を分断しています。

アメリカ文明というものがあるとすれば、それはヨーロッパの亜種か、いやそれともそうでないのか。これは、答えるのが難しい微妙な問題です。東部、南部、西部の違いもある。あえて言えば、大量生産による安物製品のアメリカがそれであるのか。それはケンタッキーフライドチキンやマクドナルドのハンバーガーに象徴されるものです。戦後一挙にアメリカの繁栄として現れたものは、実はある意味でヨーロッパから抜け出した新しいアメリカ的なものだったのかもしれません。

徹底した合理性の世界――それは無国籍なもの、国民性や民族性を持たないもの、その意味で普遍的なものとして世界に普及できたのだとも言えます。

アレクシ・ド・トックヴィル

## アメリカの光

1945年に民主党のフランクリン・ルーズヴェルト大統領が死に、副大統領のハリー・S・トルーマン（1884〜1972）がその後を引き継ぎます。彼は、共和党のアイゼンハワー時代（任期：1953〜61年）が来るまで、大統領の座にいました。

戦後のアメリカは、圧倒的な勝者として世界に君臨し、日本とヨーロッパを支配する大国でした。これに対抗できる国はソ連だけで、ソ連はアメリカの支配が及ばない地域を管轄しました。先進国のほとんどはアメリカの下にあったと言えます。軍産複合体制で第二次大戦を乗り切ったアメリカには、戦後の繁栄がもたらされます。

ハリー・S・トルーマン

私の世代（1952年生まれ）が、アメリカのイメージとして最初に思い浮かべるのはテレビ番組です。戦後いち早くテレビが普及したアメリカ（世帯普及率は1955年でおよそ65%）は、番組ソフトの乏しい日本のテレビ放送に多くの番組を供給しました。『ザ・ルーシー・ショー』『うちのママは世界一』『パパ大好き』『パパは何でも知っている』『ローハイド』『スーパーマン』『ラッシー』『ボナンザ』『ララミー牧場』『ベン・ケーシー』『コンバット！』など、テレビ

番組のほとんどはアメリカ製でした。

戦後、ニューヨーク・ロングアイランドの不動産開発者で建築家のウィリアム・レヴィット（1907〜94）が始めた「レヴィット・ハウス（建売住宅）」が、アメリカ郊外の典型的なスタイルを創造します。大きな2階建ての家に車庫、芝生があり、家の中には立派なシンク（台所）と大きな冷蔵庫があり、愛し合う素敵なパパとママのいる世界——。これらがテレビを通してつねに流された〝ユートピア〟としてのアメリカです。それを我々は、小さな家、汲み取り式便所、暗い台所と比べて、夢を見ているような気持ちになったものです。当時、自動車や冷蔵庫など、夢のまた夢の世界だったのです。

『ザ・ルーシー・ショー』

もちろんこの裏に、大きな影があったことを子供ばかりか、大人も知りませんでした。『ザ・ルーシー・ショー』は、おバカでとんまな女性が繰り広げるコメディですが、ルーシーの両親や祖父は共産党と関係していたことで、当時アメリカを覆っていたマッカーシズムの洗礼を受けています。レヴィット・ハウスの住宅街も、GM（ゼネラルモーターズ）などの労働者の高賃金が生み出した一部の現象で、多くのアメリカ人はそんなところに住んでなどいなかったのです。だから、アメリカ人にとっても〝アメリカンドリーム〟だったのです。

ディズニーのアニメには、ほとんど黒人が出てきませんでした（２００９年公開の『プリンセスと魔法のキス』で初めて、黒人のプリンセスが登場した）。それはどの番組も似たようなもので、『ちびっこギャング』や『三ばか大将』は短編映画をテレビ用に編集し直したものですが、黒人が出てきても、だいたい執事か貧乏人、アジア系はコックといった具合で、少なくともテレビの世界では、アメリカは多民族国家ではありませんでした。

## アメリカの強さ

戦後のアメリカを築いたのは、大恐慌と戦争によるその収束でした。１９２９年に起こった経済恐慌は30年代になっても改善されず、結局、総力戦経済がすべての問題を解決してくれたのです。皮肉にもその体制は、ナチズムと似て、国家の戦略に組み入れられた企業が軍事産業として機能する軍産複合体制です。

シドニー・レンズ（１９１２～86）の『軍産複合体制』（小原敬士訳、岩波新書、１９７１年）の序文には「今日は、アメリカ自体が、傲慢な軍産複合体によって支配されている」（1ページ）と書かれています。一方でこうした体制によって発展したＧＭやフォードの労働者は、労働組合の力もあって、高賃金を得ました。アメリカの一部の労働者の生活は改善され、家と自動車を持つようになり、それが温かいホームドラマで描かれるようになったわけです。

当時のアメリカの企業の強さは、佐藤定幸『世界の大企業』（岩波新書、１９６４年）で紹介されている、『フォーチュン』誌が発表する歴年の売上高ランキングを見ればわかります。１位のGM、２位のスタンダード石油会社から始まって、そのほとんどがアメリカの会社です。トップ１００社のうちアメリカの企業は67社もあります（前掲書、17ページ）。これは62年の統計ですので、それ以前はもっと多かったと思われます。

銀行の預金高順位は、バンク・オブ・アメリカを筆頭に、10位のうち６銀行をアメリカの銀行が占めています（前掲書、29ページ）。「アメリカ様にはかなわない」というイメージは、まさに現実のものだったのです。

アメリカはこうした経済力を背景に、戦後のマーシャル・プラン、ガリオア資金（占領地域救済政府資金）、エロア資金（占領地域経済復興資金）によって、ヨーロッパと日本の復興を援助します。これによって戦後復興を加速し、社会主義圏のヨーロッパへの侵攻を阻止することができると考えたのです。

## 冷戦の始まり

戦中から戦後間もない期間までは仲睦まじかった連合国間に、大きな亀裂が生じたことから冷戦が始まります。もともとソ連とアメリカは、戦争の協力というだけの関係だったのですが、ニューディール関係者を含めてソ連との交流が進んでいました。しかし、思わぬ事態が発生します。1946年3月、ミズーリ州のフルトンの大学でウィンストン・チャーチル（1874～1965）が講演した際に飛び出した「鉄のカーテン」という言葉でした。その少し前の2月、モスクワにいたジョージ・ケナンは「最も長い電報」と言われるものを、ワシントンのトルーマンに送ります。これによって、ソ連とアメリカの関係が一変します。「ソ連との友好はあり得ない。勝つか負けるかである」という内容の電報ですが、これがアメリカの冷戦外交の基本となる「トルーマン・ドクトリン（共産主義封じ込め政策）」の構想につながり、東西緊張が一気に進みます。

ウィンストン・チャーチル

アメリカがソ連を敵国としたことで、ありとあらゆる疑心暗鬼が生まれます。ソ連の原水爆実験の成功、東欧地域の社会主義化、アジアにおける中国の共産化といった状況下で、47年3月12日に発表されたのがトルーマン・ドクトリンでした。ヨーロッパやアジアに対して積極的干渉を行なうというもので、社会主義体制を全体主義と決めつけ、それと断固戦うとしました。

こうした封じ込めの一環としてＮＡＴＯ（北大西洋条約機構）創設やマーシャル・プランの策定、対ソ戦略策定に関わるＣＩＡ（中央情報局）が設けられるなど、アメリカの対外戦略が定まったのですが、この結果、在外米軍は、そのままそれぞれの地域に居座ることになり、アメリカの超大国としての運命が決まります。

とりわけソ連に原水爆実験の成功で先を越され、アメリカ本土が攻撃される可能性が高まり、アメリカではある種のパニックが起きます。

## マッカーシズム旋風

そんななか起こったのが、奇妙な思想弾圧「マッカーシズム」です。

ウィスコンシン州選出の若い共和党上院議員ジョセフ・マッカーシー（1908～57）が、アメリカ中に共産主義者が存在すると発言し、彼らの名簿を持っていると主張したことで、〝赤狩り〟のマッカーシズム現象が生まれます。これは集団ヒステリーのような現象ですが、この無名で能力もない一議員が、アメリカ中を恐怖のどん底に突き落とすことになるのです。

ジョセフ・マッカーシー

リチャード・H・ロービア（1915～79）の『マッカーシズム』（宮地健次郎訳、岩波文庫、1984年）では、1954年まで続くある種の伝染病「マッカーシズム」について、次のように述べています。

「マッカーシズムの道化的特徴は、実はその本質に

エリア・カザン

マリリン・モンロー

かかわるものだ。というのは、マッカーシズムはなかんずく、いや多分なによりもまず、現実からの一目散の逃走であったのだから。それは滑稽なものを持ち上げ、重大なことを嘲笑した。常識を踏みにじり、常識をけしからぬものとした。形式と価値の範疇を混乱させた。変人を賢人のように扱い、賢人をバカものだと非難した。現在から関心をそらして、過去に注目させた。過去を見るも無残に歪曲した」（前掲書、56ページ）

これはまるでトランプ政権や安倍政権がやったことに似ていますが、真実から目を背け、現実を歪曲して、ひたすらフェイクを真実だとするペテンであり、これにかかると優れた学者はクズ、クズは優れた学者に反転してしまいます。民衆は興味本位で信奉することが多いので、まるで伝染病のようにフェイクが蔓延していくわけです。

結局、マッカーシーが持っていると主張した共産主義者の名簿というものは存在せず、彼の虚言はアメリカ中を震え上がらせ、自分を守るために誰かを売り、十分検証することもなく嘘をまき散らすという狂乱の世界を現出させました。

なかでもハリウッドの映画関係者は、大きな影響を被ります。

『エデンの東』で有名な監督のエリア・カザン（1909〜2003）も審問されますが、彼はやがて転向します。彼は同業の友人を売ったことで、多くの人々に非難されました。また、人気俳優マリリン・モンロー（1926〜62）の夫で、脚本家のアーサー・ミラー（1915〜2005）も〝赤狩り〟のターゲットとなりました。

アーサー・ミラー

## 共産主義の脅威としての朝鮮戦争

マッカーシズムの背景には、朝鮮戦争（1950〜53年）という具体的な米ソ対立の戦争がありました。

戦後のアジアの植民地処理については、1943年11月のカイロ会談で検討され、朝鮮半島の独立は約束されていました。しかし、実際にはソ連とアメリカが38度線を挟んで対峙する戦後の状況が続いていました。48年、大韓民国と朝鮮民主主義人民共和国が独立します。両国は体制がまったく異なりました。

1950年6月、38度線を越えた北朝鮮軍がソウルへと進撃しました。どちらが先に手を出したのかという問題は決着していませんが、北朝鮮の勢いが強く、ソ連製の戦車で武装した装甲軍は、釜山(プサン)にあと80キロと迫ってきます。

北朝鮮は一気に釜山まで攻め、アメリカ軍を窮地に追い込みます。しかし、拡大した戦線によって補給が難しくなり、軍の連絡はバラバラになります。マッカーサーは仁川(インチョン)の、今は陸続きになっている島に上陸し、分断作戦を開始、猛攻を仕掛けていきます。やがて38度線を越え、鴨緑江(おうりょくこう)まで到達し、中国へと進むところまで行きますが、中国軍の介入によって苦戦を強いられます。

トルーマン大統領とマッカーサー元帥との対立が起こり、「原爆の使用と第三次大戦もやむなし」と言ったマッカーサーが解任され、38度線が休戦ラインとして落ち着いたことで、53年に停戦に至ります。

マッカーシズムはまさに〝北の脅威〟が現実化した時期に起きた政治的事件だったのです。

## 黒人差別問題

アメリカには、さらに重要な国内問題がありました。それは、アラバマ州の小さな町から起こります。

1955年12月1日の夕刻、ローザ・パークス(1913〜2005)という黒人女性が、モンゴメリーの町でバスに乗りました。当時のバスは、黒人と白人の席が分離されていて、白人は運転手のすぐ後ろの前方の席、黒人はバスの後ろから乗り込む後部座席が割り当てられていました。白人は自動車を使うことが多く、黒人はバスの利用者が多い。

ローザは黒人席に腰掛けていたのですが、白人席が混んできたため、運転手が黒人の座席を白人に譲るよう命令してきたのです。ローザはそれを拒否し、逮捕されました。アラバマの州法では、白人に席を譲らないと違法となります。

南アフリカ共和国などで見られるような分離主義（アパルトヘイト）は、アングロサクソンの伝統でもあったのですが、アメリカも南部はそのような法律を採っていたのです。大学も、高校もすべて分離されていました。黒人は白人の学校に入ることができなかったのです。

この町に、キング牧師、マーティン・ルーサー・キング・ジュニア（1929〜68）という知的な青年がいました。

ローザ・パークス
（左奥はキング牧師）

キング牧師

ローザ・パークス逮捕をめぐる大きな反対運動が起こり、キング牧師はそのリーダーになりました。やがて黒人たちはバスの乗車拒否を始めます。大半の利用者が黒人でしたから、乗車拒否は大変な騒ぎを引き起こしました。黒人はタクシーを相乗りして仕事場に通い、この運動は黒人の公民権運動へと発展していきます。連邦裁判所は翌年、バス車内での人種による分離を違憲としました。

63年8月28日、ワシントンには多くの黒人、そして白人が押し寄せ大行進を行ないました。そしてキング牧師がこう語ります。

「いまこそ、民主主義の約束を実現すべきときである。いまこそ、人種的隔離の暗い荒廃の谷間から立ち上がって、人種的正義の陽の当たる道を歩むべきときである。黒人が市民的諸権利をあたえられないかぎり、アメリカには安らぎも静けさもない。反抗の旋風は公正な輝かしい日が出現するまで、我が国のいしずえをゆさぶりつづけるであろう」（本田創造『アメリカ黒人の歴史』岩波新書、1964年、10ページ）。

この5年後、テネシー州メンフィスのモーテルのバルコニーで、キング牧師は暗殺されました。

# 第11章

# 植民地の独立

## ――政治の解放、経済の隷従

「私たちは今、二〇世紀に別れを告げようとしている。二〇世紀は資本の最も強固な擁護者によって『アメリカの世紀』と評されてきた。この見解によれば大国アメリカが直接こうむったベトナムでの無残な敗北はおろか、1917年の十月革命、中国やキューバでの革命、そしてその後、数十年間に起こった植民地解放闘争はまったく存在しなかったかのように見える。実際、既存秩序の無批判な擁護者は、世界は二一世紀のみならず次の一〇世紀も、パックスアメリカーナがもたらす不可避的なルールに従う運命にあると、自信たっぷりに予測している。しかしながら、この数十年間どれほど力関係が資本に都合よく再編成されたとしても、今述べた二〇世紀の主要な社会的激震の淵源は（略）、その後の発展によって決して解決されたわけではない。逆に資本制システムの矛盾は、強制的な延命策によって何とか生き延びてはいるが、そのたびに悪化する一方であり、それは人類の生存にとってかつてないほどの危険をもたらしているのである」（イシュトヴァン・メーサロシュ『社会主義か野蛮か　アメリカの世紀から岐路へ』的場昭弘監訳、こぶし書房、2004年、7ページ）

「植民地化とは偶発的事実の集まりでも、個人的事業の統計的結果でもないということである。それは一つの体制である。19世紀の半ばにととのえられ、1880年ごろよりようやく実りをもたらし、第一次大戦後に衰えを見せ、そして今日では植民地主義国家に対して寝返りを打っている一つの体制なのだ」（J・P・サルトル『植民地の問題』海老坂武解説、多田道太郎・鈴木道

彦ほか訳、人文書院、２０００年、32ページ）

## 世界史の外からの声

すでに何度も繰り返していますが、世界史とは支配する側の歴史、世界を解釈する権利があるとする「主体」から見た歴史です。当然ながら、その主体に観察され、解釈される側の歴史がありますｓ。しかし、これは世界史というようなものではなく、主体の側にとって個別史にすぎません。世界史を貫く太い線は、主体である人々がどう変遷したか、また彼らがどう戦ったかであり、その脇にいた人々については語られないのです。

しかし両次大戦を見ても、戦場は世界に広がり、その犠牲者は圧倒的にそうした世界史の外にいた人たちです。またそうした植民地の人々は、独立を期待しながら、宗主国のために戦場に赴いてもいます。だが、歴史ではヨーロッパとアメリカと日本という大国の戦争としてのみ語られるだけです。

第二次大戦末期、戦勝国となるはずのアメリカ、フランス、ソ連、そして中国は戦後の植民地の行方について相談します。エジプトのカイロ、ソ連のヤルタで開かれた会談で、植民地をどうするかという問題が議論されます。

それはヴェルサイユ条約の脇で結ばれたさまざまな条約（１９１９年サン＝ジェルマン条約、１

9１９年ヌイイ条約、１９２０年トリアノン条約、１９２０年セーブル条約）同様、勝利の分け前をどうするかという論議でした。レーニンの言葉では「帝国主義国による植民地の再分割」です。ヴェルサイユ条約の基本になったウィルソンの14か条には、「第5条　植民地住民の利益に配慮した植民地問題の公正な解決」という項目があり、これをめぐってアジア・アフリカの地域は植民地からの独立の実現を待ち望んだのですが、結局反故にされます。東ヨーロッパにおける国民国家の独立は保障されたのですが、それ以外の地域での独立は、ほとんど聞き入れられなかったのです。

第二次大戦では、敗戦国の支配した植民地は、当然ながら宗主国からの独立が保障されました。たとえば、カイロ会談（１９４３年）は日本が植民地としていた地域（台湾、朝鮮半島など）の独立を認めましたし、ヤルタ会談（１９４５年）ではポーランドの領土の位置の移動などが決められました。

一方、戦後の世界の安定化のために国際連合を創設する議論も、戦時中に行なわれました。１９４５年４～６月のサンフランシスコ会議で、それは始まりました。第二次大戦後の基本は植民地の独立でしたが、実際には戦勝国がそれに頑強に反対することにより、簡単には実現しなかったわけです。それは植民地独立戦争として何年もの間続きます。

現実的には、国連は常任理事国の米仏英ソが覇権主義を実現する場となってしまうのですが、国連を世界史の外にいる人々が取り返す試みは、かなり前から始まっていました。

## ブリュッセルでの「反帝国主義同盟」

第一次大戦の後、自らの民族自決権を承認されなかったアジア・アフリカの人々は、植民地主義の権化でもあるベルギー（帝国としてコンゴとルアンダ＝ウルンディ、および天津に租界を領していた）の首都ブリュッセルに集結し、「反帝国主義同盟」という国際会議を開催します。

ソ連邦が成立し、第3インターという世界共産主義運動の支援組織が、植民地の独立闘争を支えるようになります。植民地化された東欧も例外ではありません。第一次大戦後の民族独立に際しても、援助の手を差し延べます。とりわけ東欧においては、帝国をなしていたドイツとオーストリアが敗戦国となったことから、その独立は問題なく進みました。

戦勝国であるフランス・イギリス・アメリカが所有していたアジア・アフリカの地域の民族独立運動にコミンテルン（第3インター）が介入していきます。それには、やがて社会主義、共産主義を実現しようという意図がありました。しかし、ソ連における民族問題（たとえば、後述する民族主義的共産主義者でタタール人のスルタンガリエフの失脚）と、アジア系に対するソ連の連邦としての支配が、コミンテルン内部での不満として出てきて、のちに中ソの問題として浮上します。

すでに第2インターは、第一次大戦を止めることができず、組織自体が分裂し、それぞれの国家支持へと進んでしまったので、第3インターは国家ではなく世界の人民として結びつく努

スルタンガリエフ

力が必要でした。1920年のコミンテルン第2会議で、アジアの民族自決の問題が大議論になります。

それはヨーロッパ中心のマルクス主義が、アジアでどう変化するかという問題でした。それはまたソ連においてアジア系民族が解放されているのかという問題であり、ロシア（ロマノフ）王朝の支配が、たんに共産党政府の支配に変わっただけではないのかという議論でした。まさにプロレタリアとブルジョワの階級対立の問題と、宗主国と植民地の対立の問題が同じように考えられるかどうかという、長く続く民族解放闘争をめぐる問題です。

プロレタリアとブルジョワとの対立が廃棄されれば、植民地問題を解決できるのかどうか。宗主国のプロレタリア、あるいはその傀儡である旧植民地の共産党の支配は、植民地の解放を否定するのではないかという問題がありました。まして産業化されていない原料供出国の植民地では、プロレタリアがいない。となるとプロレタリア＝人民とはならず、むしろ革命の主体は前衛である共産党となってしまいます。

タタール人のミールサイト・スルタンガリエフ（1892〜1940）の失脚を通じて、アジアの共産主義者たちの不満へとつながります。

その意味で、ソ連による植民地解放闘争に不満を持つ人々も含めて、先に触れたブリュッセル会議に参加します。この会議がブリュッセルで開催できたのは、当時、第2インターナショナルの議長であったヴァンデヴェルデがベルギーの外務大臣だったからです。この会議の出席者には、第二次大戦後に活躍するインドのジャワハルラール・ネルー（1889〜1964）などの名が見られます。

こうした運動に勢いをつけたのは、1905年の日露戦争による日本の勝利であったことは間違いありません。非ヨーロッパでもヨーロッパに抵抗できるという事実は、植民地国の劣等感を払拭してくれたわけです。

戦後、多くの国は、抵抗を受けながらも、次々と独立していきます。1945年にインドネシア、46年にフィリピン、47年にインド、パキスタン、48年にマレーシア（マラヤ連邦）、セイロン、ビルマ、韓国、北朝鮮、49年に中国、51年にリビア、57年にガーナが続々と独立していきますが、その多くは宗主国の軍隊との衝突の結果、成し遂げられたものです。独立運動も、ソ連やアメリカの影響を受けるものから、そうでないものまで多様ですが、そのなかでも大きなものがベトナムであり、アルジェリアであり、キューバでした（詳しくは、ヴィジャイ・プラシャド『褐色の世界史』粟飯原文子訳、水声社、2013年を参照）。

ジャワハルラール・ネルー

## 近代植民地の殺戮の構造

『共産主義黒書』（〈ソ連篇〉ステファヌ・クルトワ、ニコラ・ヴェルト、外川継男訳、２０１６年、〈アジア篇〉ステファヌ・クルトワ、ジャン＝ルイ・マルゴラン、高橋武智訳、ちくま学芸文庫、２０１７年）という書物が、ベルリンの壁崩壊後に世界中でベストセラーになりました。しかし、実は『資本主義黒書』（ローベルト・クルツ、渡辺一男訳、新曜社、２００７年）という書物もあります。前者は共産主義が、後者は資本主義が、いかに人民を殺戮したかを説いたものです。

資本主義の場合、経済と政治が分離しているので、殺戮が明確には見えません。流刑や処刑や虐殺などは政治であり、一般の企業に関係がありません。しかし、社会主義国は、政治と経済が一体になっていますので、殺戮がそのまま共産主義の政治、そして経済の問題として説明できます。とはいえ、資本主義のなかでも政治と経済が相携えている地域があります。それが資本主義国の植民地です。ここでの殺戮は資本主義的企業と深く関係しています。

フランスの歴史学者マルク・フェロー（１９２４～２０２１）の『植民地黒書』（Marc Ferro ed., *Le Livre Noir du colonialisme. XVIe siècle*, 2003）によると、殺戮の人数はすさまじいものになります。まず、植民地が政治と経済の２つによって締めつけられるのはなぜなのかを説明していきます。

## 債務の罠

植民地、とりわけ近代社会（資本主義）の植民地は、経済的従属関係の植民地です。その意味で政治的独立は、必ずしも経済的従属の破棄を意味しません。その継続が、植民地域の経済発展を阻害し、貧困を永続化させ、そもそもの主従関係を延命させます。

ナポレオンの時代、19世紀初めにスペインから独立を果たしたメキシコやチリといった国を考えると、これらの国が現在、なぜ経済的に発展していないのか、なぜいつまでもアメリカやヨーロッパに従属せざるを得ないのかがわかります。

エリック・トゥーサンの『負債のシステム』（Éric Toussaint, *The DEBT system*, Haymarket Books, 2019）には、植民地と宗主国との関係が詳細に説明されています。

たとえばメキシコの場合、独立後に政府は多くの資本をイギリスやフランスの銀行から借ります。民間銀行に外債を発行してもらい、そこから外貨を得るのです。原料以外に輸出する物のない国は脆い。工業製品をヨーロッパから購入するだけの国です。これらの国は、慢性的に外貨不足に悩みます。そして、こうした国は鉱業や農業を中心とした国であるがゆえに、大きな工業は存在しません。多くは大土地所有者に支配されていることで、工業の発展を阻害されています。国は国際貿易通貨（ポンド、フラン）を得て、富国強兵のために使えば使うほど借金が増えます。そうすると、当然ながら財政破綻が起こり、政権は崩壊する。しかし、ヨーロッパの銀行は容赦なく借金返済を迫り、再度外債を発行して返金に充てるように要求してくる。そうして雪だるま式に借金は増えていきます。

返済放棄は可能ですが、放棄すると経済は停滞し、内乱を引き起こします。そのため、返済の手段として国土を売るという方法があります。メキシコがネヴァダ、アリゾナ、カリフォルニアを売ったのは、まさにその方法を採ったからでした。あるいは、どんどん国内の土地や企業が借金の担保に押さえられていきます。

「皇帝マキシミリアンの処刑」（E・マネ画）

また1850年代には、イギリス・フランス・オランダの銀行への借金が返済できないメキシコは、フランス軍の攻撃を受けます。ルイ・ナポレオン（ナポレオン3世、1808〜73）のメキシコ遠征は、借金の取り立てのためだったと言ってもいいわけです。そこに新しい傀儡政権（ハプスブルクのマキシミリアン1世。のちにメキシコ大統領ベニート・ファアレスらによる巻き返しで処刑される）を打ち立て、利益の確定を図りますが、最終的には革命が起こります。

要するにこうした背景のなかでは、つねに革命かクーデタが次々に起こることになります。

この悪循環からは簡単に抜け出せません。我が日本も、日露戦争の借金を100年近くかかって返しました。借金が外債であれば、国立銀行の信用によって返却することなどできません。他国の資金に頼らず生きるには、自立した貿易国を目指さないといけませんが、それがなかなか難しい。

中南米のみならず、後進国と言われる国々は、この債務の罠にかかっています。かつての東欧も、デタントによってこの罠にはまりました。冷戦の雪解けによる西側資金の流入は、一気にソ連・東欧圏の経済改善につながりました。しかし、売る商品のないこれらの国々では、原料以外に売るものがありません。結果的に、さらに借金を重ねるしか選択肢がありません。そうすると、高い利子率に悩まされ経済崩壊が起き、外国の企業や銀行が流入し、国家の所有物を切り売りするしかなくなるわけです。それが、ソ連・東欧圏の衰退の最大原因になります。この矛盾を乗り越える方法があるとすれば、それは西欧が支配する資本主義経済圏から離脱し、再び社会主義化するしかありません。

次に見るアルジェリアとキューバで、その2つ（貿易立国とするか、社会主義化するか）の違いが明らかになります。

## アルジェリア独立戦争

フランスは19世紀前半にアルジェリアの植民地化を図ります。ヨーロッパ中から植民が行な

フランツ・ファノン（手前）

われ、アルジェリアはフランスに従属する国家となります。同国の独立運動は、第二次大戦後すぐに始まりますが、フランスはその独立を決して認めようとはしませんでした。これを認めると、フランスはすべての植民地を、とりわけベトナムの植民地を含めて、独立させなければならなくなるからです。

その意味でも、地理的にすぐ南にあるアルジェリアの独立を、フランスは阻止しなくてはならなかったわけです。その弾圧は、イタリア・アルジェリア映画『アルジェの戦い』（ジッロ・ポンテコルヴォ監督、１９６６年）のなかで描かれ、有名になりました。ゲシュタポのように、抵抗する人々を徹底して締め上げ、殺戮してゆく。フランスは、１９５０年代は「花の都」という姿の裏側に、残忍な植民地主義者の相貌を隠していました。

アルジェリアの独立戦争は、共産主義者によって行なわれたものではありません。国民戦線（ＦＬＭ）という組織を中心に、共産主義者・民族主義者・ムスリム教徒などが集合した集団的運動であったのです。しかし、これがのちに問題を生みます。

アルジェリアの独立戦争に勢いをつけたのは、54年、フランス軍のベトナム、ディエン・ビエンフーでの大敗北でした（第一次インドシナ戦争）。フランス軍が強くないという事実が知れ渡ったことで、アルジェリアの抵抗は激しさを増し、抵抗組織はＦＬＭにすべてが統合されていきます。62年、アルジェリアは独立します。フランスとの戦いは勝利に終わったのです。

アルジェリアは、独立以後、ＦＬＭの構成から必然的に政権内部に権力闘争が起こり、内紛に明け暮れます。

かつてこのアルジェリア解放闘争で活躍し、アメリカで白血病で夭折したフランツ・ファノン（１９２５～61）は、死後出版された『地に呪われたる者』（１９６１年、鈴木道彦他訳、フランツ・ファノン著作集３、１９６９年）のなかで、軍を民兵組織にしない国は、軍部によって裏切られるか、外国の介入によって崩壊すると述べています。

サルバドール・アジェンデ

新国家は、外国資本と外国からの借金で縛られています。これを断たないと、最終的に外国の軍事介入を招くことになります。そうならない場合でも、軍組織が裏切り、政権を転覆するクーデタを起こします。

チリのサルバドール・アジェンデ（１９０８～73）の社会党政権を倒したアウグスト・ピノチェト（１９１５～２００６）がその典型で、アジェンデの国有化政策

アウグスト・ピノチェト

ベン・ベラ

に反対する地主やアメリカ企業にピノチェトは支持されてクーデタを起こし、チリをアメリカの従属国家に戻します。

ファノンの言うように、軍隊が民衆のものであれば、民衆はクーデタを許さないわけです。しかし民兵の力を削ぎ、軍が独自の組織に改編されると、政府にとって大きな脅威となります（戦前の日本もこのような状態だったと言えます）。アメリカのCIAは、まさにこうした地域（国）に紛争を起こし、アメリカ軍を送り込み、攪乱します。キューバもアメリカに何度も攻撃されています（アメリカの海外侵略については、ウィリアム・ブルム『アメリカ侵略全史』益岡賢ほか訳、作品社、2018年参照）。

アルジェリアで社会主義政策を採ったベン・ベラこと、ムハンマド・アフマド・ベン・ベラ（1918〜2012）政権は、すぐに倒され、やがてアラブ人主導になり、最終的にイスラム主義の政権へと移行していきます。この政権は西欧に対し閉鎖的で、孤立し、内部では反対派の弾圧を行なっており、クーデタの不安を抱えているうえに、部族闘争によって安定した政権がつくれない状況にあります。とくにここ30年間、閉鎖的なイスラム原理主義が支配的です。

## キューバ革命の特異性

一方、キューバ革命は、ある意味、経済的主権を回復することを中心に戦略を採って独立した例です。経済的独立を革命というかたちで実現したと言えるでしょう。

キューバは、アルジェリアとは違い、植民地ではありませんでした。1902年には共和国として独立しました。しかし、実際はアメリカ資本と地元の豪族にすべてを牛耳られ、国民は貧困にあえいでいました。キューバで必要であったのは、真の政治的独立でした。フィデル・カストロ（1926～2016）とエルネスト（チェ）・ゲバラ（1928～67）の2人の革命家は、バティスタ政権を崩壊させ、彼の周りにいたアメリカの資本家を追い出しました。そして社会主義化を進めます。

アメリカ人や土着の地主の持っていた土地や企業を国有化し、アメリカの干渉を避けるために、ソ連に近づきます。最初は資本主義の道を歩もうとしていたのですが、フロリダに地主が逃げ、アメリカ資本の流入

フィデル・カストロ

の危険性があったので、徹底して海外資本と債務を片付けることになります。そのためにソ連への接近が重要であったのです。

カストロとゲバラはメキシコから船でキューバに渡り、少しずつ農村を味方につけ、ゲリラ組織をつくり、国軍に対抗しました。その意味で民兵組織が国中に張りめぐらされていたわけです。だからこそ、アメリカのような侵入にも、アメリカによる軍組織の買収にもによるピッグス湾事件（1961年4月）

エルネスト・ゲバラ

耐えられました。

62年10月、ソ連によるキューバへのミサイル配備の問題は、大きな論議を呼びますが、アメリカの経済封鎖を乗り越えるための、キューバによる駆け引きであったとすれば理解ができます。キューバはユーゴスラビアのように、米ソといった強国を上手に操りながら、政治的・経済的独立を果たしていきました。

当然、今でもキューバの社会主義政権を倒し、もとの支配へと戻そうとする人々もいますが、キューバの組織がそれに耐えられるようになっています。経済が国内で循環できることで、対外債務が少なく、またこれといった原料輸出がないことで、工業化も進めることができたのです。だから、この国はソ連・東欧が崩壊しても揺るがなかったわけです。

中南米の国の多くは、キューバより早く独立していますが、いまだに対外債務に苦しみ、アメリカの影響を受け、政治的な不安定が続いていますが、キューバは例外と言ってもいい状態です。

## 植民地論の変遷

アジアやアフリカの独立国は、今も多くは不安定なままです。経済の不安定が政治の不安定をもたらし、政治の不安定が経済の不安定を促進している。アフリカへの援助も債務の増大を継続させるだけで、経済発展へつながらない。それは、多くの旧植民地が抱える問題です。これらの地域はいまだに世界経済のシステムのなかで、原料の供出を担っています。

政治的独立が意外にも戦後すぐに認められたのは、それが経済的従属を否定するものではなかったからです。政治的独立によって、経済的従属はむしろ強まり、中央（先進国）、半周辺（中進国）、周辺（後進国）といった世界経済のシステムのなかで、いまだに旧植民地はこの輪の外に出ることができずにいます。貧困から脱却できていないということです。

70年代までに大方の植民地が独立したことで、それまであった植民地に対する批判的見解が少しずつ変質し、今では植民地化こそ、その国のその後の発展に寄与したという議論すら現れています。多様性の観点による文学や言語学における、ポストコロニアル、ネグリチュード、カルチュラル・スタディーズといった思想的潮流から、近代化論が出現し、植民地が果たした近代化の意味も語られています。

しかも、フランスではアルジェリアの植民地化が果たした貢献を教えるようにという政治的圧力が出てきていますし、日本でも朝鮮半島などの植民地に対する日本の貢献を言挙げする向きがあります。それとともに、植民地で行なった残虐な行為への批判がかき消されています。しかし、60年代までの植民地独立運動は、残虐な行為に彩られていたことを忘れるべきではないでしょう（西川長夫『〈新〉植民地主義論』平凡社、２００６年参照）。

# 第12章

# 戦後のヨーロッパと日本

## ——冷戦下の選択

「戦争に明け暮れた歳月、さらに、平和ではなかったとしても少なくとも公然たる闘争の休止期にあった過去の歳月は、自由の安定条件を明確にした。すなわち、自由の第一条件は経済的発展である。というのは、この条件が満たされてはじめて、人々は希望を抱き、そして希望こそはおそらく、法律に対する尊敬を確保する必須の条件であるからである。(略)これに反して、自由が危殆に瀕するのは一社会の経済が縮小し始める時である。経済の収縮は常に恐怖であり、恐怖は常に猜疑を生む。社会の支配者が自由に対して嫌悪の眼を向けるのはまさにかかる時である」(ハロルド・ラスキ『近代国家における自由』飯坂良明訳、岩波文庫、1974年、11ページ)

## 戦後資本主義の堡塁

ドイツと日本、この2つの国は第二次大戦で最も破壊された地域です。戦後の世界の行方は、これらの国の経済的復興にかかっていました。しかし、それ以上にこの両国は、2つの対立する体制のフロントになったことで、東西対立の攻防戦の中心となりました。それが、いわゆる冷戦体制と呼ばれるものですが、日本とドイツという敗戦国を境界線にして、日本では西側地域に北朝鮮・中国・ソ連、ドイツでは東側地域に東欧圏の社会主義国が位置し、資本主義の「堡塁(ほるい)」の役割が与えられました。

1945~89年(ベルリンの壁の崩壊)に至る歴史は、堡塁たるドイツと日本をどう復興させるか、それが経済的・政治的・軍事的問題として展開されます。

## 理想のモーゲンソー・プラン

ルーズベルト大統領が主導していた1944年までのアメリカの戦後ドイツ復興プランは、冷戦構造に左右されない、アメリカから見て理想を追求するものでした。

それは、第一次大戦後のウィルソン大統領のプランにもよく似て、戦後世界をひとつの世界として考えようというものでしたが、少なくともドイツが降伏するまでは米ソ関係は深い協力関係にありました。

第一次大戦後の対独政策が過酷なものだったこと、そこからファシズムが生起したことはすでに述べました。

そうした反省をもとに、ドイツの復興に対して2つの考え方が存在していました。第1は、ドイツを徹底した平和国家にし、二度と戦争ができない、いわば平和的小国家にしようというものでした。第2は、ドイツの復興こそ欧州の復興であり、それはひとえに世界の復興であり、そのためドイツをいち早く復興させることが肝心だというものです。当然ながら、ドイツにとってはきわめてハードなプランでした。

とはいえ、ヒトラーの残酷な体制への反省から、ドイツの非武装化と小国家化の推進が支持される流れにありました。そうしたなか、ルーズベルトの友人で、ニューディールでも活躍し

ヘンリー・モーゲンソー

た財務長官のヘンリー・モーゲンソー（1891〜1967）が、ドイツの戦後プラン「モーゲンソー・プラン」の骨子をつくり上げます。

そのメモの最初の言葉はこうです。

「1．ドイツの非軍事化

連合軍の目標は、降伏後ドイツを完全に非軍事化することであるべきである。その意味は、ドイツ軍と人民の完全な非武装化（そこにはすべての戦争の道具を破壊し、撤去することが含まれる）、ドイツのすべての軍事産業の全面的破壊、軍事強化のための基礎となるそのほかの産業の撤去と破壊である」（眞鍋俊二『アメリカのドイツ占領政策』法律文化社、1989年、英文オリジナルの拙訳、32ページ）

これは戦後日本で最初に採られた政策と似ています。ルーズベルト大統領の基本政策がドイツの非武装化・平和国家化にあったことは間違いありません。

これらの政策は、ドイツの自発的改革は不可能であり、外圧によって無理矢理に改革しなければならないという発想に結びついていました。この政策は、ドイツのファシズムの根源にあったコンツェルンと大農場経営に向けられていました。

そこで財閥の解体と大土地所有の廃棄が、政策としてつけ加えられます。ドイツでは大土地所有制度が残っていて、それが小農の育成を妨げていました。小農の育成は、従属する農奴的農民から、自ら思考し決断できる市民を育てることであり、アメリカ民主主義の考えには、そうした市民を形成するという目標がありました。

一方、こうしたモーゲンソーのような考えには厳しい批判もありました。それは国務長官のコーデル・ハル（1871〜1955）と陸軍長官のヘンリー・スティムソン（1867〜1950）の考えです。モーゲンソー・プランの合意は、1944年9月のケベックでの会議でなされますが、ハルはこうしたハードなプランに反対します。

「だが私は、ドイツを農業的、牧場的性格の国に変えることを目指しているような計画には賛成することが出来なかった。七千万人のドイツ人が、ドイツ内の土地だけに頼って生きて行けるはずがない。彼らは飢え死にするか、他国の重荷になるほかあるまい。これはドイツ人の胸に消えることのないうらみをきざみつけるだろう。これは、一部のドイツ人が犯した罪のために、ドイツ人全部と将来のドイツ人まで処罰することだ。そしてこれはドイツばかりでなく、欧州の大部分を処罰する結果になろう、と私は考えた」（『ハル回顧録』宮地健次郎訳、中公文庫、2001年、253ページ）

コーデル・ハル

彼はドイツに対する案として、ナチズム撲滅のために25~50年の占領統治、そして生活水準を近隣より低く抑えるという政策を示しています。この案はイギリスのチャーチルも含めて合意したもので、アメリカの大統領がトルーマンに代わるまでは、当面この案が優先で進みます。

## 急がれた西ドイツの復興

1945年、アメリカ大統領のルーズベルトは、ドイツの敗戦を見届けることなく亡くなりました。その後を継いだのが、トルーマンでした。同年5月から49年まで、ドイツは占領下にありました。

東ドイツ（プロイセン、ザクセン地域）はソ連占領地域、北ドイツ（ニーダーザクセン、ウエストファリア、ラインラント地域）はイギリス、ライン川沿いの西ドイツ（ザール、ラインラントの一部、バーデン＝ヴュルテンベルク地域）はフランス、南ドイツ（ヘッセン、フランクフルト、バイエルン）はアメリカという4分割、ベルリンは、東はソ連、それ以外の西側は北から英仏米に分割統治されました。

戦争終結後は、戦勝国の対立が露わになっていきます。最も大きな問題が東西対立で、48年には西側の通貨改革を機に、ベルリン封鎖がソ連によって強行されます。その結果、西ドイツの占領地域の体制は大きく変わります。

フランスは58年までザールを支配しますが、やがてこれらの地域は、西ドイツとして統一され、戦後復興を急ぐことになります。その際、最も重要だったことは、「モーゲンソー・プラン」のような平和国家プランではなく、ソ連・東欧に対抗する資本主義の堡塁としての国家を建設するというプランでした。

東西の緊張は、バルカンとトルコの問題から生まれます。ギリシアへのユーゴスラビアの干渉に対するイギリスの防戦とアメリカの応援、ソ連のトルコへの接近に対して、トルーマンは「トルーマン・ドクトリン」というソ連封じ込め政策を生み出します。

東西対立によって、ドイツの平和国家化は消え、ドイツを、ソ連から西欧を守る要塞へと変貌させる政策へと変わっていくのです。そこで急がれたのが、西ドイツ（米英仏の占領地区）の経済復興でした。当初予想されていた重工業の破壊は行なわれず、強力な経済国家への道が約束されます。ドイツの憲法は今でも西ドイツ時代の憲法を継続していますが、それは憲法（Verfassung（フェアファスング））ではなく、基本法（Grundsatz（グルントザッツ））です。

しかし、当時のドイツの貧困は著しく、アメリカの援助なくして復興は不可能であったため、第一次大戦でも活躍し、ルーズベルトの前の大統領であったハーバート・フーバーが、ドイツやヨーロッパの調査を行ないます。その報告の文章には、こう記されています。

「ヨーロッパの復興への道は一つしかない。それは生産である。ヨーロッパの全経済は、原料や工業製品に関してドイツ経済とリンクしている。ヨーロッパの生産は、生産への貢献者としてのドイツの復活がなければ復興はありえない」（眞鍋前掲書、英文オリジナルの拙訳、40ページ）

こうしてモーゲンソーのプランに対して修正がかけられ、ドイツの連邦国家の形成（最初は東ドイツを含むはずでした）、軍事的な設備の撤廃、一時的な軍事力の停止、産業の復興（ルールとラインを中心に）が提言されます。

この報告を受けてアメリカでは、国務長官ジョージ・マーシャル（1880〜1959）による戦後復興のための救援プランが作成されます。やがて「マーシャル・プラン」は、ドイツ復興というより、ソ連・東欧圏に対する抑止力としての復興に切り替わります。したがって、その対象は、東欧諸国以外のすべてのヨーロッパ諸国に拡大されました。47年6月、マーシャルはこう述べます。

「都市の人々には食料や燃料が不足しています。だからこそ、政府はこうした必需品を外国に求めるために、外貨と信用を使わざるを得ない。これが、復興に緊急に必要な資金を枯渇させている。――真実は、ヨーロッパの向こう3、4年間の外国の食糧とそのほかの重要な生産物への需要（主としてアメリカから）は、支払い能力以上のものであり、ヨーロッパには物的な追加援助が必要であり、そうでなければ非常に悪い経済的、社会的、政治的悪化に直面せざるを得ない」（前掲書、英文オリジナル、43ページ）

こうして「モーゲンソー・プラン」は崩壊し、ドイツの復興という名目は西側資本主義を守るという方向に進んでいきます。

これに対して、ソ連・東欧圏はすでに述べたように、コミンフォルムの結成、資本主義への堡塁をつくり、東西対立が深まります。

## 戦後の日本の復興

戦後の日本は、ドイツのそれに似た軌跡を描きます。ただ、日本の占領がアメリカ中心であったこと、分割統治ではなかったこと、生産力がドイツほど大きくなかったこと（ドイツの3分の1）が違っています。直接、陸地を社会主義圏と接する国ではなかったことにより、モーゲンソー案が、ドイツ以上に日本では採用されていきます。

そのひとつが日本国憲法です。戦後、鈴木貫太郎、東久邇宮稔彦、幣原喜重郎、吉田茂と続く内閣は、必死で戦前の保守体制を維持しようとしますが、憲法をはじめ大きな改革が行なわれました。日本国憲法は、まさにモーゲンソー案が実現されているとも言えます。非武装、戦争の否定はまさに平和国家の実現です。農業改革、教育改革、労働法改革（労働組合法の成立）などの大きな変革が、外圧によるものとしても実現しました。そして、アメリカ主導であったことが、早くから日本を冷戦構造に取り込むことにもなります。

米ソ対立が深まりゆくなかで、アメリカは日本に、東側に対する要塞の役割を要求します。それにより日本の産業は、解体されつつも復興し、官僚機構・天皇制など旧体制が継続することになっていくのです。しかも日本には、「ナチズムの排除」という欧米のような明確な指標がないことによって、戦前の体制と完全に断絶することなく、保守派の復権するチャンスが与えられました。戦争責任問題が明確化されず、「一億総懺悔」（東久邇宮の言葉）という一語で、誰も責任を取らない社会が出現します。そこには、日本国と大日本帝国との区別があいまいな状況さえ見出されます。

冷戦下、やがてアメリカの政策が変わるなかで、公職追放者が次第に出獄し、朝鮮戦争により日本の再軍備が進み、戦後改革の意味が次第に失われていきます。日本の吉田茂（1878〜1967）と西ドイツのコンラート・アデナウアー（1876〜1967）はある意味、戦後世界の保守化を支えた人物で、両政権が比較的長く続いた（アデナウアーの連邦首相の任期は1949〜63年）ことによって、西ドイツと日本は、アメリカの対ソ最前線基地の役割を全うすることになりました。

吉田茂

コンラート・アデナウアー

## IMF体制と西欧諸国

1944年9月にカナダで第2回ケベック会談（「モーゲンソー・プラン」の変更、イギリスの太平洋戦争への関与などが米英で話し合われた）が行なわれる前の7月、戦後の国際経済をめぐってブレトン＝ウッズ（アメリカ・ニューハンプシャー）で会議が開催されました。ここで話し合われたことは、大恐慌を生み出した貨幣体系をどう変革するかということでした。金本位制からドル基軸体制への変革が行なわれるのですが、問題はアメリカ財務次官ハリー・ホワイト（1892〜1948）の案とイギリスのジョン・M・ケインズ案のどちらを採用するかという点でした。

そもそも金本位制は、きわめてうまくできたシステムでした。2つの国、A国とB国を考えてみましょう。A国とB国が貿易する際に金（きん）を使うとします。A国はB国から商品を金で買います。金はB国に移り、B国では商品が輸出されるため足りなくなり、A国から金で足りなくなった商品を買います。A国の金の流出はB国に商品不足を生み出し、B国はそれをA国から受け取った金で買わざるを得ないので、やがて金はA国に再び還流するというのが、金の自動調節機構と呼ばれるシステムで、理論通りいけば完璧です。

ホワイト（左）とケインズ

しかし、多国間の貿易、さらに生産能力が工業・農業いずれにおいても高い国と、その2つがいずれも低い国が存在すれば、金は一方的に生産力の高い国に集中し、そうでない国では金不足を招き、経済は衰退します。この問題をどうするかでした。

ケインズは、ドルでもないポンドでもない「銀行券＝バンコール」という新しい通貨を創設することを考えます。これを使って貿易をするのですが、バンコールは時間によって減価するのですぐに使わねばなりません。いずれの国もバンコールを独り占めすることができないというシステムでした。それは金の自動調節機構に似ています。

しかし、ホワイトは現行のドルを中心としたドル基軸体制を主張します。世界の大半の金を所有するアメリカには、ドルに対する裏付けがあります。また当時、世界の生産力の5割以上を占め、工業・農業ともに高い生産性を持つアメリカのドルは、国際的に使用できます。そこでドルを中心とした体制を構築しようというわけです。第二次大戦後の状態から判断する限り、なるほどドルを選択するほうが現実的でした。アメリカが商品を生産し、それをドルで世界に売る。そのための資金・ドルをアメリカが世界に貸し付ける。やがて復興した国はそのドルを返す。いわばアメリカは、カジノの胴元のような役割を担うわけです。

結局、ホワイト案が通り、国際通貨はアメリカ・ドルということになります。ＩＭＦ（国際通貨基金）体制の始動です。

一方で、このなかにソ連・東欧圏を入れるかどうかという問題がありました。ソ連・東欧を組み込めば、それらの国はアメリカから借金をすることになり、従属的な地位に甘んじざるを得なくなります。それで、ソ連・東欧圏は49年、コメコンをつくり、資本主義的市場圏から外れる選択をします。そのため、ソ連・東欧圏には「マーシャル・プラン」も適用されず、西側の技術や商品を買うこともできなくなり、先進技術を移入できない閉鎖的市場となっていきます。IMF体制は、社会主義体制を締めつける資本主義体制の〝砦〟であったとも言えます。

## NATOと日米安保

冷戦が進むなか、アメリカは西ヨーロッパを守るための組織を立ち上げます。それがNATO（北大西洋条約機構）です。西ヨーロッパと北アメリカを大西洋で結ぶ軍事協定で、これによってアメリカのヨーロッパへの駐留が恒久化していきました。とりわけ西ドイツには、10万人近くのアメリカ軍が駐留し、東欧圏と対峙するという体制ができ上がります。やがてベルリン封鎖や、ベルリンの壁の建設などが行なわれますが、東西対立はヨーロッパを完全に分断することになりました。

かたや日本は、1952年のサンフランシスコ条約で独立し、アメリカの占領が終わっても米軍の駐留は続き、60年に日米安保条約が結ばれます。

## 経済発展と戦後の繁栄

終戦直後は日本もヨーロッパも被害が大きく、経済復興は遅々として進みませんでしたが、日本はアメリカの基金から融資を受け、西ヨーロッパは「マーシャル・プラン」の援助以降、経済は次第に成長していきます。

この時代の特徴としては、民主化した経済が挙げられます。労働者の団結権など労働者を守る基本的な法律ができたこと、そして、株式会社が発展して株主が経営から離れたことで、経営者＝企業家の力が次第に増してきました。そして企業において、利潤の内部留保、賃金の上昇が生まれ始めました。さらには土地改革や産業改革により、財産法や累進課税が実現されたことで、労働者層は比較的裕福になり始めたのです。

フランスでは、戦後を評して「栄光の30年」という言葉があります。第二次大戦後の30年は、西欧と日本にとって経済復興と同時に、中間市民層の増大という現象が生じます。それとともに教育の大衆化、文化の大衆化が始まり、国民のあいだにあった階級格差が縮小しました。

もちろんこれは、資本主義社会の長期変動の景気上昇局面だったという見方も成り立ちます。大恐慌を挟んで景気は後退し、１９４０年までは不況期でしたが、戦争とともに景気が上昇し始め、それが戦後も継続したという見方です。これによって、戦後の復興需要を支える重工業が発展し、戦後次々と開発される電化製品などの売上好調とともに景気は持続し、人々の生活は改善されていきました。

しかし、これはあくまで西欧や日本といった先進国の話であり、それ以外のアジアやアフリカの国は埒外にあったことは間違いありません。先進国が成長を遂げる一方、それ以外の国との経済格差が広がっていったことも忘れてはなりません。

西欧は70年代になると次第に成長の勢いを失い、日本もやがてそれに続くようになり、大きく歴史の変化を迎えます。

## ＥＵへの道

戦後の西欧で重要なことは、ＥＵ（ヨーロッパ連合）へ至る道が始まったということです。ＥＵは、もとをたどれば数世紀前にさかのぼることができます。小さな国民国家に分裂し、戦争が繰り返されるというヨーロッパの状況は、すでに16～17世紀フランスの国王アンリ4世（1553～1610）が嘆いたことでもありました。彼はヨーロッパ統合を主張します。

18世紀になり、ヨーロッパの平和を願う声が高まるなか、フランスの作家シャルル・サン＝ピエール（1658～1743）が1713年に『永久平和論』（本田裕志訳、京都大学出版会、2013年）を書き、ここからヨーロッパ連合構想が出てきますが、とりわけ先駆的な提案をしたのが、フランスの社会主義者アンリ・ド・サン＝シモン（1760～1825）です。

アンリ4世

彼は『ヨーロッパ社会の再統一について』（1814年）というパンフレットを書き、イギリスを範とした民主主義を採用し、まずは英仏連合、そしてそれ以外のヨーロッパを連合化しようという発想を示します。

そもそもヨーロッパは国民国家に分裂する前は、神聖ローマ帝国を構成していたわけで、その時代には戦争がなかったのですが、分裂と同時に戦争が頻繁に起きるようになりました。とりわけ三十年戦争（1618～48年、ドイツを中心とする宗教戦争）はヨーロッパをどん底に突き落としました。

その後、独仏同盟、英独仏同盟など、さまざまな連合案が出てきますが、第二次大戦後にはアメリカの支援もあり、連合構想が具体化していきます。ベネルクス三国の共同体から始まり、1951年には欧州石炭鉄鋼共同体（ECSC）、57年に欧州経済共同体（EEC）がローマ条約によって成立し、西欧内の関税同盟が確立していきます。

サン=シモン

この同盟には当初、イギリスは参加していなかったのですが、やがてEC（欧州共同体）となって、イギリスも73年に加盟しますが、最初からヨーロッパ大陸を中心に組み立てられた組織でした。

ソ連・東欧圏への強力な堡塁としてのECの設立は、西側社会にとって大きな力となります。欧州共同体という先進国連合は、それ以外の国の憧れとなることで、次第にソ連・東欧圏を切り崩していくことになるのですが、ECが戦後の欧州の経済発展に果たした役割には大きなものがあります。

ただ欧州共同体という場合、そこには宗教・文化・経済・政治が共通のものとして前提にさ

**EU加盟国**

れており、それがある意味で西側世界の大きな力として影響力を持つことになります。こうした地域は、そこに属していない周辺諸国や、マグレブ（リビア、チュニジア、アルジェリア、モロッコなど北西アフリカ諸国）、トルコなどから移民労働者を集め、経済発展の基礎をつくり上げていきます。それはヨーロッパ諸国の貧富の格差、政治体制の違いを前提にしており、その限りにおいては、ＥＣのそれ以上の拡大の可能性はなかったわけです。スペインやポルトガルは独裁体制が続き、ギリシアも政治・経済が不安定であり、東欧圏は停滞していました。しかし、スペインのフランコ政権、次いでギリシアの独裁体制が崩壊したことに始まり、89年の東欧圏の社会主義体制の崩壊によって、ヨーロッパ全体の再統合が課題となりました（ギリシアのＥＣ加盟は81年、スペイン、ポルトガルの加盟は86年）。これは最初から前提されていたことではなかったのです。こうした課題は、93年に発足するＥＵ（欧州連合）に引き継がれることになります。

そして、次第にＥＵ内における力関係の重心が、英仏からドイツに移っていきます。こうなると、戦後体制を形成していたソ連圏に対する要塞化が、強国ドイツの拡大とヨーロッパの分裂へと変化していくことになります。

## アジアにおける状態

東アジアにおいては、中華文明圏の崩壊が19世紀に始まり、そこから日本が頭を出すことで、東アジアにおける不安定要因が高まっていきます。東アジアでは、中国に代わって連合構想を主張できる国が出現しないことで、対立と憎悪の関係が持続していきます。

日本の「大東亜共栄圏」は、まさにそうした中華主義に代わるアジアの連合構想だったのですが、欧米列強に受け容れられないばかりか、アジアでも受け容れられず、その後、アジアを取り結ぶ連合の動きは、むしろインドネシアやインド、中国に委ねられることになります。

日本はそうしたなか、アメリカとの関係を強化することで、アジアから半ば外れ、欧米陣営に組み込まれていきます。日米安保がまさにそれを実現したのですが、NATOと日米安保条約が西側の冷戦の成果であったとすれば、冷戦が終結した以上、NATOにも日本にも、その組み換えが必要となりました。ヨーロッパはそれを、EUによって実現しようとしたのですが、日本はその後、日米安保体制を変えることなく堅持し、ひたすら冷戦構造を維持したまま今日に至っています。

戦後日本経済は、アジアではなく、アメリカとつながることで、その庇護の下で発展していきます。その限りにおいて、欧米に安価な工業製品を売ることで欧米市場を席巻し、経済成長を実現します。少なくとも冷戦崩壊までは、こうした市場は日本の独擅場（どくせんじょう）であったと言えます。欧州もアメリカも、日本への技術移転の速度の進化によって防戦に立たされ、70年代には、経済停滞＝スタグフレーションという現象に遭遇します。しかし、やがて日本も、韓国・台湾・中国が技術移転速度を速めたことで、同じ目に遭います。

日米欧にとって大きな歴史の転換点になるのが、ベトナム戦争です。ベトナム戦争を機に、第三世界の発展が生まれ、先進国は停滞していく。そして先進国の戦略が、世界市場でのイニシアチブの掌握へと大きく移っていく。つまり先進国は、グローバル化を進めていきます。

こうしてソ連・東欧圏、アジア・アフリカの第三世界も、今ではひとつの世界市場に組み込まれ、次なる時代が始まっていくことになります。

次章では、ベトナム戦争と世界の構造変革について考えます。

# 第13章 ベトナム戦争と1960年代

## ——民衆の、民衆による戦い

「ゲリラ戦は、民衆の大多数に支持されながら、抑圧からみずからを守るための武器を少量しか持たない側が行使するものである。（略）ゲリラ戦士は抑圧者に対する人民の怒りと抗議を具体的に表現すべく武装した社会変革者であるということである。ゲリラは武器をもたぬすべての兄弟姉妹を屈辱と窮乏の中に取り込んでいる社会制度変革のために戦うのである。彼らは時が至れば支配体制に対して立ち上がり、その枷を破壊するために全力を尽くしてその身を捧げる」（チェ・ゲバラ『新訳 ゲリラ戦争 キューバ革命軍の戦略・戦術』甲斐美都里訳、中公文庫、2008年、32ページ）

## 市民層の誕生

1960年代は戦後が終わりを告げ、新たな時代に突入した時代でした。戦後の冷戦構造、核軍拡競争、イデオロギー闘争、高度成長が、次第に終わりを迎え、新しいなにかに向かって進んだ時代でもありました。新しいなにかへの転換を促したものは、公害による環境悪化、核戦争による世界消滅への恐怖、「社会主義か、資本主義か」という二者択一闘争への疑念、高度経済成長神話から人間らしい生き方への転換、中産階級形成による市民社会の誕生という、これまでとはまったく違った新たな問題が起き、それが戦後と違った運動形態を生み出したということです。

こうした動きに最も影響力を及ぼしたのが、ベトナム戦争でした。しかも圧倒的な軍事力を誇るアメリカの絨毯爆撃や枯葉剤攻撃、南ベトナムのソンミ村の民衆虐殺（１９６８年）、大国の横暴と核戦争への危惧、ベトナム戦争を利用し経済成長を遂げていく日本などの諸国に対する非難が、アメリカ国内ばかりか世界中で湧き起こります。これがベトナム戦争反対運動です。そうした運動を先進諸国で支えたものが、新しい市民社会の形成でした。

ソンミ村大虐殺

ベトナム戦争はあらゆる意味で、これまでとは違った問題を孕む戦争でした。アメリカもソ連も中国も、ある意味で戦後の冷戦構造の延長線上にベトナム戦争を位置づけ、この戦争を東西対立の象徴と考えていましたが、実際に戦ったベトナムでは、「社会主義か、資本主義か」という体制の戦争であるよりも、ベトナムという地域の独立運動として考えられていました。そこでの戦争は、北ベトナム対南ベトナム、そしてソ連・中国対アメリカという二極対立の戦争ではなく、北ベトナム正規軍でもない、かといって南ベトナム軍でもない、ベトコン（60年に南ベトナムで、北ベトナムの指導のもとに結成された「南ベトナム解放民族戦線」の蔑称）や民衆といった力の運動、そこに生活するものの権利が主張された戦争でした。しかも、圧倒的な軍事力を誇るアメリカが落とす爆弾や枯葉剤に対して、世界中で抗議が起きました。アメリカの市民、そしてアメリカ以外の多くの市民に、こうした攻撃に対する嫌悪感を生み出し、新たな市民運動「ベトナム戦争反対運動」が生まれたのです。

先進国は50年代からの急速な経済成長によって豊かな時代を迎えつつありました。それまでの肉体労働者からホワイトカラーへの転換、都市の労働者の増大は、これまでの社会のあり方を大きく変えていきます。日本で起こった三井三池闘争や、その後に現れる革新政権の誕生、学園紛争は、こうした変化を象徴する出来事でした。

中産階級の新たなる動きは、フランスやイギリス、アメリカでも起きます。まず都市住民の増大による中産階級層の形成です。工場労働者ではなく、都会のビルで事務仕事を行なう労働者（ホワイトカラー）の増大、そして高校・大学への進学人口の増大は、戦後の共産主義運動や社会主義運動を、新たな形態として市民運動へと変化させていきます。

60年の安保闘争での学生組織は、左派政党をバックにした全学連組織だったのですが、60年代はそこから分裂した反代々木（反日本共産党）系などによる全学連、ノンポリ学生の参加する全共闘へと変化していきます。アメリカやフランスの学生運動と同様に、それは一般学生の運動でした。当時学生の間でよく読まれたものが、それまでのようなソ連型マルクス主義の本ではなく、西欧型マルクス主義者のヘルベルト・マルクーゼ（1898～1979）やエーリッヒ・フロム（1900～80）といった人物の本で、その運動様式も大きく変化していきます。

この運動を支えたのが、クラシックな教養主義への批判（そこにはマルクス主義も含みます）、ビートルズや漫画といったサブカルチャーのマニフェスト、長髪やサイケデリック（LSDなどの幻覚剤によってもたらされるイメージをアート化したもの）なファッションによる自由の表現などです。そこには男女関係の変化（女子学生の大学進学率の増大）、父系的家族の崩壊（核家族化）、マイカーブームなどによる個人志向の発展なども含まれ、新たな文化運動として花開きます。

エーリッヒ・フロム

日本は経済成長において、西欧やアメリカにやや遅れをとっていたので、このような運動が遅れて入ってきました。経済成長主義に対するアンチ、公害に対するアンチ、家父長制に対するアンチ、教師や教授、政治家などの権威、既存の権威的な学則・校則、法律に対するアンチ、既存の文化秩序に対するアンチといったものが、世界の若者（実際には先進国だけだったのですが）の意識を捉えていきます。こうした動きがベトナム戦争反対へのシンパシーとなって、反ベトナム戦争と学園紛争が一緒になり、権威に抵抗する「戦争を知らない子供たち」が生み出されました。

## フランスの進駐、植民地化

なぜベトナム戦争が私たちに深く広い印象を残しているのか。それを知るにはベトナム戦争の歴史をたどる必要があります。戦後の植民地独立運動は数多くありましたし、社会主義になった国も多くあったのですが、この小さな国（といっても人口も面積も日本と同じくらいなのですが）以上に大きな関心を集めた国は、おそらくないと言っていいでしょう。

ベトナムはインドシナの太平洋側に位置する地域で、北からトンキン、アンナン、コーチシナと3つに分けて呼ばれます。マレー系と中国系が混交した人種がいるように、中国の南下と侵略に苦しんできた地域です。インドシナから南太平洋地域にかけては中華文明圏の影響が強く、かつてはこの中華文明こそ、土着民のベトナム人（キン族）にとっての敵でした。

その地域に16～19世紀にかけて、イギリスやフランス、オランダが乗り込んできます。インドシナにフランスが支配を及ぼし始めるのは19世紀後半、すなわちルイ・ナポレオンの時代です。ルイ・ナポレオンは、第二帝政を形成した1851年以降、世界への拡張政策を進めます。本来は国の平和と安定を主張していたのですが、そのための経済成長を図るべく、つねに海外へ拡張せざるを得ないという矛盾を抱えていました。

1850年代、クリミア戦争、イタリア独立戦争、メキシコ遠征といったように海外への展開を強めていたナポレオンは、当時友好関係にあったイギリスとともに、アジアへの侵入を開始します。

イギリスは1850年代、アヘン戦争によって清政府に大きな譲歩を迫り、中国を手中に入れつつありましたが、それにフランスも加担します。フランスはおもにインドシナへ、イギリスは中国へ、互いに利益を分け合いながら侵入します。1850年代といえば、日本は幕末ですが、日本へのフランスの進出も、ほぼイギリスと連動しています。フランスは幕府と結びつくのですが、イギリスと時に競争、時に協力しながら、ヘゲモニーを狙います。

江戸幕府が地方分権的であったことで、門戸開放は比較的楽に行なわれるのですが、それが結局、幕府の衰退を生み出し、英仏は幕府に代わる別の政府をつくる必要に迫られます。やがて薩長連合と組んだ天皇による明治政府を生み出し、日本は英仏にバックを支えられながら、新時代に乗り出します。

ベトナムの場合、そうした政府に近いものがフランス進出以前に北ベトナムのハノイにありましたが、南のメコン川流域に広がるコーチシナ地域にはそうした仕組みがなかったので、フランスはこの地域に軍を送り、最南部のサイゴンからメコン川を上り、中国雲南省に至る貿易ルートをつくろうとしました。プノンペン（カンボジア）、そしてアンコールワットのあるトンレサップ湖まで行きますが、メコン川をカンボジアからラオスに上っていくと、滝が多く航行が難しくなり、中国まで行けないということがわかり断念します。

そこでフランスは、トンキンにある港湾都市ハイフォンに目をつけ、紅河を上り、そこから

ファン・ボイ・チャウ

中国に入るという航路を開拓するために、この地域の植民地化を行ないます。ベトナムはジャングルが多く、全土を支配下に置くことは困難で、現在のベトナム・カンボジア全土を植民地化したのは、ようやく1880年代でした。しかし、実際に支配下に置いたのは都市とその周辺だけでした。これが仏領インドシナ連邦の成立です（1887年）。

フランスはベトナムのエリートを優遇することで二重構造の支配体系をつくり上げます。ベトナム人エリートを支配し、そのエリートが民衆を支配するという体系です。フランスのアリアンス＝フランセーズ（フランス政府公認で、その助成を受けてフランス語とフランス文化の教育を行なう非営利団体の高等教育機関）を中心とした植民地主義は、現地エリートをフランスに留学させ、やがて帰国した彼らに原住民を支配させるというシステムで成り立っています。そのための学校がフランス語を教える学校です。ベトナムの土地は共有地を国家が取り上げ、それをフランス人に払い下げプランテーションにしていきました。

こうしたフランスの植民地化に対する抵抗運動はずっと続いていきます。20世紀の初めには、ファン・ボイ・チャウ（1867〜1940）は、日本へ救いを求め、日本留学が促進されます（東游（ドンズー）運動）。フランスは、こうした動きに対して1907年、日仏協約を締結し、日本政府に反仏運動の学生を追放するよう要求し、東游運動は終わります。当時ベトナムから、日本はアジアにおいてヨーロッパによる植民地化を免れた同胞だと思われていたことは確かです。しかし、その日本が、40年以後はベトナムを支配し、彼らの敵になります。

## その後のベトナム

１９１１年、辛亥革命が中国で起こると、ベトナムの独立運動は中国に接近します。ホー・チ・ミン（１８９０～１９６９）は、フランスで社会主義運動と出会い、フランス社会党に入党、20年のフランス社会党ツール大会で植民地解放をフランス人に要求します。やがて社会党から分かれた共産党に入党し、モスクワに行きます。

ホー・チ・ミン

日本は30年代に中国に深く侵攻し、蒋介石軍と戦っていましたが、アメリカは蒋介石を支援し始め、その港がハイフォンでした。そこから中国へ物資が届けられます。日本はこの補給路を断つためにベトナムに侵入します。

この時、日独伊の軍事同盟が結ばれ、前述のように、それに対しアメリカは日本の海外資産凍結、日本への石油輸出の禁止などの対抗策を実施します。それが太平洋戦争の原因になります。

ナチス・ドイツがフランスを占領したこともあり、日本は傀儡政権支配下のフランスと手を携えて、ベトナムの植民地化を図ります。一方でそれは、日仏の植民地支配に抵抗する独立運動を活気づけます。ベトミン（ベトナム独立同盟会の俗称）というベトナム独立のための組織が生まれます。日本が敗退する直前、日本はベトナムの独立を認めますが、やがて日本の敗戦とともに、ホー・チ・ミンによるベトナム民主共和国が北ベトナムにできます（１９４５年）。ポツダム会談でベトナムの南北分割が話し合われ、南をフランスが支配することになります。

しかし、フランスは戦後、北のベトナムも植民地として要求したため、インドシナ戦争が勃発します（１９４６年）。最初はフランス軍が優勢であったのですが、ベトミン支配の山間部を掌握することができず、長い戦争になります。戦局を一気に変えたのが、１９５４年のディエン・ビエンフーという山間部での戦闘でした（ディエン・ビエンフーの戦い）。フランス軍は痛手を受け、北ベトナムから撤退していきます。やがて17度線を境に南

ディエン・ビエンフーのベトミン軍

ベトナムが成立し、そこにアメリカの支援が始まります。

## 東西対立の挟間としてのベトナム

この時から、ベトナム独立戦争は次第に、東西冷戦の戦争、すなわち共産主義勢力に対する西側の防衛戦という性格を帯びてきます。アメリカのケネディ政権時代に冷戦が激化していくなか（1961年8月、ベルリンの壁が建造される）、戦争がイデオロギー戦争として激化していきます。1963年11月、リンドン・ジョンソン（1908〜73）が大統領に就任し、トンキン湾に入港したアメリカ軍艦が攻撃されたという理由で、北爆が始まります。64年8月のことです。それ以降、アメリカ軍のベトナム戦争への兵力増強が行なわれ、およそ50万人のアメリカ軍兵士が投入されるのです。

リンドン・ジョンソン

サイゴンをはじめとした都市を拠点とする南ベトナムに対し、ベトコンと北ベトナム軍は、ジャングルに潜んで敵を迎え討つかたちで、じわりじわりと攻撃していきます。ゲリラ戦です。

75年4月30日、サイゴンは北ベトナム軍に占領され、最終的にこの長いベトナム独立戦争は100年にわたる幕を閉じます。

統計的に見て、1400万トン（第二次大戦は610万トン）の爆弾が注がれ、200万発の不発弾が残り、ベトナム側戦死者は、兵士300万人、民間400万人、難民1000万人、精神的疾病者600万人、費やされた戦費アメリカ2400億ドル（現在の価値では5000億ドル）、アメリカ人兵士の死者5万8000人、それ以外のアメリカ軍の死者5000人という結果が出ています。アメリカ軍の朝鮮戦争の死者は3万人（太平洋戦争は5万人）です。アメリカにとっては大きな痛手だったということになります（松岡完『ベトナム戦争 誤算と誤解の戦場』中公新書、2001年）。

## ザ・ビートルズがいた世界

アメリカなどの先進国では、市民社会が形成され、それが国家権力とは相対的に独立した新たな機関として機能していきます。国家の戦略に対して公然と反対する市民運動です。当時展開された運動のひとつが公民権運動であり、もうひとつがベトナム戦争反対運動です。兵役拒否の運動では、アメリカの若者が大量にカナダへ流出します。ベトナム戦争が拡大するころ、彗星のごとく現れたザ・ビートルズは、文化革命をもたらします。

長髪（ビートルズカット）、革ジャン、エレキギター、ロックといった極めて素朴な音楽は、それまで一般的だった聴く音楽から演奏する音楽の誕生を告げました。誰もがギターを買い、誰もがグループをつくり、誰もが作曲する時代の始まりです。それが世界中に広まり、怒った大人たちが不良として彼らを摘発しようにも、その流れは止まらない状態になります。これにマリー・クワント（1930〜2023）のロンドン・ファッション（ソーホー地区のカーナビー・ストリート）が加わり、ミニスカートと短髪（女性）、赤、黄、白の原色カラーのファッション、大麻、シンナー遊び、男女の性の転換、サイケデリック・ファッションといった独特の新たな革命的芸術運動を生み出します。これらは、既存の父親や母親の役割、教師や教育の役割、モラルなどを破壊し、新しい社会の胎動となるのです。

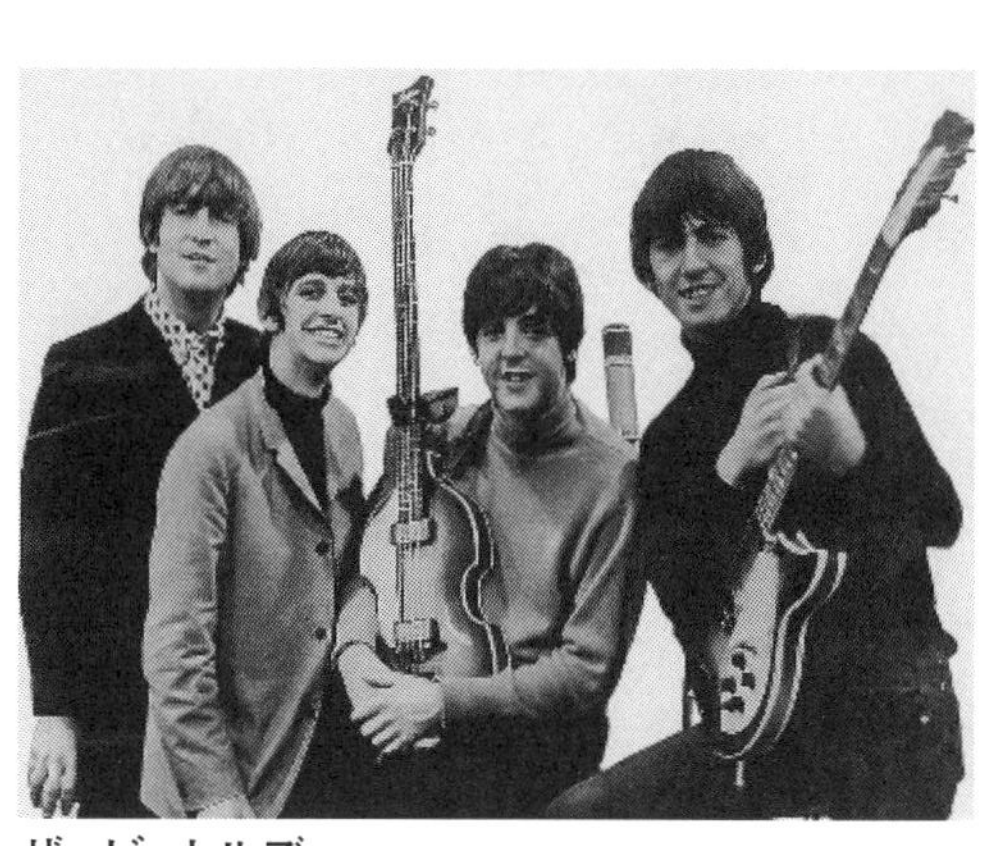
ザ・ビートルズ

この文化革命が「ビートルズ革命」です。

それはアメリカのカリフォルニアのフォークソングを中心とした反戦ソングと呼応し、フラワー運動へとつながり、反戦運動を盛り上げます。ヒッピー文化、ウッドストック現象などが次々と生まれ、若者たちは、もの言う若者、不満を主張する若者になります。

私の成長期は運よくこの時代だったのですが、小学校で学校に行かなかった私も、こうした変動のなかでなんとか生き延び、ビートルズとエレキブームで生きる自信を取り戻し、やがてベトナム戦争とマルクス主義に興味を持つようになりました。あのころを思うと、いつも、「おもしろくない」という感情があったことを思い出します。それから、なにかをぶっ壊したいという怒りもありました。なにもかも不満だらけだったのです。

## 1968年5月革命

このころ、中国で「文化大革命」（1966〜76年）が起きます。

これは、今となれば毛沢東（1893〜1976）の政敵排除の権力闘争にすぎなかったのですが、当時は大衆による知識人批判から始まった、下からの革命に見えました。それは一種の陶酔的革命運動とも思われたのです。『毛沢東語録』を片手に叫ぶ若者の姿は、ゲバ棒を振う学生の気持ちと響き合うようで、ビートルズに向かって喚声を上げる女性たちとも共通したなにかを持っていました。それは戦後のベビーブーマーの叫びの声でもあったのです。

毛沢東

文化大革命は世界の若者たちに影響を与え、毛沢東主義者と呼ばれる人々を生み出します。農村と都市との融合は、革命運動のひとつのあり方を象徴し、受験勉強で頭でっかちの若者を、農業によって意識改革するというフレーズは人々を感動させました。そこには、ベトコンに見られる、そこに生き、戦い、学ぶといったある意味での社会主義社会の理想主義が生きていたとも考えられます。

〝毛沢東詣(もう)で〟をしたフランスの若者たちは、１９６８年5月、新しい革命（5月革命）を起こします。その年は、マルクス生誕１５０年に当たり、ロバート・ケネディ（１９２５～68）とキング牧師（１９２９～68）の暗殺、プラハの春、グルノーブル冬季オリンピック、メキシコ・オリンピックの年でした。そして日本では、学生運動が高まり、あちこちで大学の占拠が行なわれました。

私は68年当時は高校生で、東京大学のサマースクールに参加し、8月、垂れ幕の掛かった安田講堂で、『豚と軍艦』（１９６１年）という横須賀を舞台とした今村昌平監督、長門裕之主演の映画を観たことを思い出します。

『豚と軍艦』ポスター

冬季オリンピックの舞台となったフランスのパリ、そして、今はパリ第10大学になっているナンテール大学の寮で、男女共同の寮生活を主張して当局と争った学生の要求から、ある大きな運動が生まれます。それはパリ16区のセーヌ川の向こう、セーヴルにあるルノーの工場労働者へと広がっていきます。学生と労働者を巻き込みながら、当時のド・ゴール政権に対して、その退任を要求する

シャルル・ド・ゴール

リチャード・ニクソン

ようになっていきます。

シャルル・ド・ゴール（1890～1970）は、58年の第5共和政成立以来、フランスに君臨する皇帝のような存在でした。当時、世界の政治家のなかで、最も影響力を持っていた人物は、毛沢東とド・ゴールだったと思われます。アメリカではジョンソン大統領が出馬を断念し、リチャード・ニクソン（1913～94）が大統領に就任するのですが、フランスは経済成長の時代からスタグフレーションの時代に突入し始めていました。

フランスでは、戦後の企業のあり方や教育体制が古くなり、新たな組織替えが必要だと考えられ、制度改革に着手しようとしていました。工場においては、近代的かつ合理的なシステムの導入が必要とされていました。これによって労働者の解雇が迫っていました。一方、大学では、教育の大衆化とともに、パリ大学がどんどん大きくなり、学生のエリートとしての権威が揺らぎ、雇用の確保も難しくなりつつありました。学生と労働者双方に不満が溜まり、それが先に述べたきっかけを得て、燃え上がることになります。

5月革命の目標をめぐっては、その後いろいろな議論が出てきます。ひとつは、資本主義的発展に対する不満と社会主義社会を実現することです。先述したように、68年はマルクス（1818〜83）生誕150年、その前年は『資本論』第1巻発行（1867年）から100年で、もちろんソ連・東欧圏は盛り上がり、ヨーロッパでも戦後の社会主義化に待ったをかけた人々の気持ちにも変化が現れ、社会主義を再評価する声もありました。そのため労働組合の力の再確認や、学生運動に理解を示す雰囲気がありました。

実際、5月革命によってド・ゴールを引きずり下ろしたのは、交通網を麻痺させるゼネラル・ストライキ（ゼネスト。総同盟罷業。企業単位ではなく、全国レベルで労働者が団結して行なうストライキ）だったのです。

ジャン＝ポール・サルトル

当時のフランスの学生運動は、ソ連派だけでなく、さまざまな派に分かれ、思想的にはソ連や中国のマルクス主義ではなく、むしろ西欧マルクス主義の影響のほうが強かったかもしれません。その代表的な人物がルイ・アルチュセール（1918〜90）でした。それにジャン＝ポール・サルトル（1905〜80）などの反ソ連的マルクス主義者も加わり、新しい「人間の顔をした社会主義」を求める運動だったと言えます。

もっとも、このような潮流を、資本主義社会の新しい変化を進める運動だと解釈した人もいます。それは、社会主義運動ではなく、洗練された資本主義の運動であると。だから、学生の要求事項の多くは、「自由」を求めるものであり、それは「プラハの春」と連動し、むしろソ連型社会主義への批判であったと考えるわけです。こうした解釈は、この革命を若者たちの文化革命と捉えるもので、やがてポストモダン運動の流れになります。

ポストモダニズムとは、すなわちモダニティの後に生まれるモダンに対する批判と、それを乗り越える運動です。そこでの要求事項は、環境問題、フェミニズム、人権、植民地主義批判などです。これらは、その後、新しい学問の流れとなるのですが、既存の学問も批判の俎上に上げられたわけです。

すなわち、その後、世界で進む大学改革へとつながっていきます。それは政府による大学改革ではなく、学生と若手教員による改革です。講座、教授、学位など、学問そのもののみならず、制度などあらゆる問題について、自治を求める改革でした。

さらには体制からの厳しい批判的意見もあります。要するに5月革命は、革命などではなく、単なる事件、それも資本の要求に対して結局は従属せざるを得ない無駄な抵抗としての事件だったというものです。それは、近代化を求める合理主義的運動だったということです。

## あらゆる権威の否定

まずアメリカやソ連といった大国の時代が終わったこと、次に権威的組織である国家というものが思ったほど強いものでも、立派なものでもなく、脆いものだったということ、そしてそれまで経済成長で豊かな世界が築けると思ってきたことが、実は世界を破壊し、差別を助長していたのだということ、こうした疑問を突きつけたことが1960年代の成果です。

要するに「権威」の否定です。家族、男女関係、学歴、民族、人種、ありとあらゆるものが、虚構としてつくり上げられたものであり、それは空虚なものだったということです。こうした認識は、社会構築主義の流行の原因になるのですが、これらの問題を突きつけたのは、民族学、とりわけクロード・レヴィ＝ストロース（1908～2009）の人類学かもしれません。それ以降、言語学、社会学、哲学において、「差異性」や「脱構築」といった言葉が問題となり、真実らしく思える従来の学説や理論も、特定の文法構造のなかでだけ通用するものにすぎないということがわかったのです。

レヴィ＝ストロース

その意味で、60年代の若者たちの異議申し立ては「熱いものだった」と言えます。

第14章

# アメリカの時代の陰り

## ——変動相場制と日本経済の伸長

「国を愛するがゆえ、愛する兄弟、老ウォールト・ホイットマンに、あなたの老いた手、すなわちあなたの特別の支援を、お願いする。われわれはこの血に飢えた大統領ニクソンを徹底して根こそぎ駆逐するつもりだ。ワシントンで彼がその鼻で息をし続けているかぎり、地球上に幸福な人間も、幸せに働ける人間もいないだろう」（パブロ・ネルーダ *Chile;The Other September 11. An Anthology of Reflections on the 1973 Coup*, Ocean Press, 2006）

「私は撤退しない！　数千人のチリの人々の高貴ある意識の中に、われわれが蒔いている種は、けっして埋もれることはないと、思う――チリ万歳！　人民よ、万歳！　労働者よ、万歳！　これが私の最後の言葉だ。きっと私の犠牲も無駄にはならないだろう。これが、少なくとも重罪、裏切り、臆病を裁く道徳的試練になることだろうと確信する」（前掲書）

## ニクソン・ショック――1971年という年

1971年、私は大学受験のために九州から上京します。それから留学、在外研究期間を除き、ほぼ関東地方に住むことになります。2月に東京にやってきて、結局1年浪人をします。その前年には、大阪万博、「よど号」乗っ取り事件、三島由紀夫の自決などにぎやかな事件が続いたのですが、この年は大久保事件（8人の女性誘拐殺人事件）以外には、マスコミを騒がせる大きな事件は起こらなかった記憶があります。ただ梅雨が長く、なかなか明けなかった。ところが、8月15日突然アメリカから大きな事件が舞い込んできました。

それが「ニクソン・ショック」でした。

最初は単なる経済的混乱と考えられていました。なぜこれが大きな事件かといえば、戦後の世界経済を支えてきた「ブレトン＝ウッズ体制」が一部崩壊したことを意味するからです。この戦後体制の崩壊は、その後あらゆるかたちで戦後体制を揺さぶり続けます。その幕開けだったのです。

戦後の冷戦構造の中心を担ったのが、アメリカという世界最大の経済力をバックにした世界市場支配の体制でした。ドルがなければなにも買えないということが、それを象徴しています。だからこそ、ソ連・東欧の拡大に対して、アメリカがヨーロッパにドルによる援助、「マーシャル・プラン」を実行できたのも、この制度があったからです。

ソ連・東欧・中国は結局ここから排除されたことで、独自の経済圏コメコンをつくり、細々と生きていくしかありませんでした。冷戦崩壊の始まりは、このドル基軸体制の変化にあります。

金本位制の話は前にしました（第12章の「ＩＭＦ体制と西欧諸国」）。金とドルがリンクしなくなったことが大きな問題となります。当時の日本（１９４５〜52年4月までの占領の終了後、日本がＩＭＦと世界銀行加盟後の翌年の53年から71年まで）を例にとると、１ドル３６０円、金１オンス35ド

1950年以降の「ドル：円」為替レート

ルの固定相場制でした。この体制（ブレトン＝ウッズ体制）が崩壊するとは、誰も思ってもみませんでした。世界中、ドルを中心とした固定相場制が実施され、これによってアメリカ以外の国はかなり有利に貿易を進めることができました。

1ドルが360円であるがゆえに、安くアメリカに輸出できる日本は、次第にアメリカ市場を席捲していきます。その結果、アメリカは慢性的に貿易赤字国になっていきました。もちろん、ドルが世界の津々浦々に流通することを考えれば、この制度はうまく機能します。ドルがなければ貿易ができないということは、まるでカジノの胴元のようにアメリカにとっても利益になります。アメリカはドルを発行するだけで、どんな物でも買えるのです。

一方でドルがインフレになる可能性があります。そこで金とのリンクが定められており、ある国がドルのインフレを懸念して金に兌換してくれと言えば、金がアメリカから流出するのでドルの発行は停止せざるを得なくなります。しかし、アメリカのドルは、ベトナム戦争への膨大な戦費により、発行過多になってしまいました。それを見透かしたようにフランスのド・ゴールが、ドルではなく金による貿易を要求したことがありましたが、すでにその時点でアメリカ・ドルの金へのリンクは危ない状態になっていました。戦後体制は、アメリカ・ドルが強く、金の保有量が多いということを前提にしていたのですが、それが崩壊したのです。

アメリカは金とドルの兌換を禁止することで、銀行券発行のブレーキを外しました。もしそれに対するブレーキがあるとすれば、アメリカの通貨がほかのすべての通貨に対して減価し、ドル安になることです。事実、この発表から数日のうちに世界は固定相場制から変動相場制へと変化していきます。日本は1ドル＝360円から302円と円高に振れ、その後も円高傾向が続きます。日本製品のアメリカでの価格は上がり、日本の輸出産業は痛手を被ります。そのため、このニュースに多くの企業は驚き、それを時の米大統領の名を取って「ニクソン・ショック」と呼んだわけです。

変動相場制になると、逆にアメリカの輸出企業は優位に立てます。相手国がダンピングでも行なわない限り、同一の条件で勝負ができるからです。ドルの発行が増えれば、どんどんドルが減価し、アメリカ製品は安く輸出できます。

しかし、ＩＭＦの中心的存在であったアメリカが、その地位を放棄するということになれば、世界経済、とりわけ日本などの諸国は不安定になります。ニクソン・ショックは戦後アメリカの一極体制の崩壊だというのは、まさにそこにあります。

一方で自由に発行できるドルは、世界中にどんどん流通していきます。ドルがなければなにも買えないという状態は続き、なおかつドル獲得の可能性が高くなれば、ドルへの依頼度はますます高くなります。あり余ったドルをどうするか。それがソ連・東欧への貸付でした。当時、石油マネーやユーロダラーなどが、投資先を探していましたが、その対象としてソ連・東欧・中国圏がターゲットとなり、そのため冷戦の雪解けが生まれ、貸付が始まり、人々の移動も始まるのです。戦後長く続いた冷戦の崩壊がもうそこまで来ていました。そこに「新自由主義」が出現し、マネーサプライの増大を引き起こし、そして次にその締め付けを行ない、あっさりと社会主義市場圏は１９８９年に崩壊します。

ニクソンは、ニクソン・ショックの翌年の１９７２年2月に突然中国との国交を開始しました。これはニクソン・ショック以上の出来事だったと思われます。当時、中国は閉鎖的で、今の北朝鮮のような状況でした。それをアメリカが自ら壊したのです。アメリカに追随し、中国との国交を断絶していた日本政府は、裏切られたと感じたはずです。しかし、ニクソン・ショックには、そのことはすでに織り込まれていたとも言えます。アメリカの経済の弱体化は、一方でその弱体化からの脱出の可能性を含んでいました。ドルの劣化は、かえってドルを世界に普及させる。そうなると、社会主義圏もドルなしではなにもできなくなる時代が、もうそこに迫っていたのです。

社会主義圏では「ルーブル振替」という方法が一般的でした。これはケインズのバンコール（時間経過によって減価する銀行券）にも似て、貿易均衡を実現させるための通貨でした。A国、B国、C国は、ルーブルで決済をするのですが、このルーブル決済は、それぞれがほかの商品を買うことで行なわれるので、ある国にルーブルが貯蓄され続けることはないのです。その意味でこれは貿易均衡の手段であり、互恵貿易のシステムです。しかし、そこに世界通貨ドルが入ってきて、ドルを持っていれば、無駄なものを買う（互恵）より、自分にとっていい物（必要な物）が自由に買えるのです。

2018年、モスクワからサンクトペテルブルクに向かう特急列車内で、これとよく似た体験をしました。特急券には、車内で一定の額の買い物ができる商品券が付いています。それは特急券代金に含まれているので、使わないと損をします。そこで、食事代をそれで払った後、いろいろな商品を購入するのです。もっとも、商品といっても列車のメニューにある物だけですから、〝いい物〟はありません。しかし、土産にはなります。これと同じシステムが「ルーブル振替」です。

当然ながら、現金を出してでも、いい物を買いたいというお客には、こんな券は必要ありません。東欧の人々が飛びついたのは、魅惑の通貨＝ドルでした。それで、ドルの借款が急激に増えます。それは「トロイの木馬」なのですが、それを知るのは1989年になってからです。

## ニクソンという特異な人物

戦後のアメリカは、ルーズベルトを引き継いだトルーマンが1952年の大統領選に出馬せず、その選挙で敗れるまで、民主党政権が20年間続きました。その後、アイゼンハワーが共和党、そしてケネディとジョンソンが民主党でした（ちなみに、その後のニクソン、フォードは共和党、カーターは民主党、レーガン、ブッシュ・シニアは共和党、クリントンは民主党、ブッシュ・ジュニアは共和党、オバマは民主党、トランプは共和党、バイデンは民主党）。

アメリカの共和党は、徹底した反共（反共産主義）活動を展開することで、東西緊張を持続させていきます。

1960年の大統領選挙では、ニクソンとジョン・フィッツジェラルド・ケネディ（1917～63）の一騎打ちになります。

2人はあらゆる点で対照的でした。アイルランド出身の裕福なカトリック教徒のケネディ。貧しく成り上がりのプロテスタントのニクソン。リベラルなケネディと保守的なニクソン。大統領選は、結局、僅差でケネディが勝利し、ケネディの時代、〝輝ける〟アメリカの時代が始まります。その時、テレビ

ダラスに到着したケネディ夫妻

討論で疲れた顔を見せたためにニクソンが負けたと語り継がれますが、これは新しいイメージ戦略の時代の到来だったのです。

プレイボーイで、生まれつきお金持ちのケネディ。その妻はフランス系で、ワシントン・タイムス記者のジャクリーヌ・ブーヴィエ（1929〜94）。彼らの生活は、マスコミの格好のネタになり、話題を独占していきます。

その周りには、『正義論』の法哲学者ジョン・ロールズ（1921〜2002）、テイクオフ理論のウォルト・ロストウ（1916〜2003）、新しい産業社会論の経済学者ジョン・ケネス・ガルブレイス（1908〜2006）、駐日アメリカ大使で日本研究者のエドウィン・ライシャワー（1910〜90）などがいて、アメリカの平和主義的外交路線を明確に示していきます。それは「トルーマン・ドクトリン」からの脱却です。しかし、一方で、キューバ侵攻問題、ベルリンの壁の建設、アジア・アフリカの独立運動の抑圧といった点で、アメリカの弱さもさらけ出した政権でした。

ケネディが暗殺（63年11月22日）された後、ケネディの民主党での先輩格で副大統領のリンドン・ジョンソンが大統領となり、再びベトナム戦線の拡大主義を続けます。公民権運動や反戦運動を蹴散らす方向でベト

エドウィン・ライシャワー

ヒューバート・ハンフリー

ナム侵攻を進めたことで、民主党政権への批判が増大し、68年の大統領選ではジョンソンは出馬を諦め、ニクソンとヒューバート・ハンフリー（1911〜78、民主党）の戦いになります。その結果、ニクソンが勝利し、再び共和党の時代が始まります。

ニクソンは、アメリカンドリームを体現していました。貧しいなかで東部のノースカロライナ州の名門デューク大学大学院へ進学し、弁護士をしながら、落選と当選を繰り返して大統領にまで昇り詰めた人物です。これは一種の夢物語です。

しかし、夢が現実になるためには、その裏にはきわめてダーティーな部分が付着しています。ニクソンは選挙資金の悪用や、共産主義者の摘発（トルーマン政権の高官アルジャー・ヒスを訴追した事件）で非難され、その冷徹さと狡猾さは、およそ夢物語を実現した憧れの人物にふさわしいものではありませんでした。マッカーシーを洗練させた悪玉大統領というイメージが、後年までつきまといました。

しかし、七転び八起き、ニクソンは汚点を逆に自分の利点にする人物であり、ブーイングを受けながらも倒れない悪役レスラーの役を演じ続けます。

とはいえ、彼はアメリカの大統領として、〝大きなこと〟をやったとも言えます。まずは「ニクソン・ショック」によってドルと金とのリンクを外し、インフレ経済を促進したこと。さらには、デタントを推し進めることで中国という鎖国に風穴を開け、チリの社会主義政権をピノチェトによって崩壊させ、反共主義に勢いをつけたこと。彼がばらまいたさまざまな政策が、やがてレーガンやサッチャーによって80年代に「新自由主義」として定着していきます。

## アメリカの威信が低下する時代

彼のイメージを決定的なものにするのが、１９７４年に発覚したウォーターゲート事件です。ニクソンは決断主義的な人物で、かなり危険なことに携わってきました。60年代の学生運動の弾圧、ベトナム反戦運動の弾圧、若者文化に対する軽蔑、そのどれをとっても保守的で頭の固い人物のやることでしたが、それを冷徹に実践するという点で、敵からすれば手強（てごわ）い相手でした。ニクソンは『ニクソン　わが生涯の戦い』（福島正光訳、文藝春秋、１９９１年）のなかで、３つの教訓を挙げています。

「第一、敗北は、あきらめないかぎり決定的なものではない。

第二、敗北を切り抜けたとき、ひとは自分の弱さを客観的に眺め、将来それに対処する免疫システムをつくることができる。

第三、物事がうまくいっているときには、ひとは自分がどれほど強いかを知ることができない。逆境に対処しなければならないときに、人は自分でも信じられないほどの力

を発揮する」（前掲書、37ページ）

上り詰めた立志伝中の人物の強気が、ここには現れていますが、この強気（と猜疑心）から、民主党本部のあったワシントンのウォーターゲートビルで盗聴するという事件を起こしてしまいます。全マスコミが彼を糾弾し、74年8月9日、大統領を辞任します。たしかに、大統領補佐官、国務長官を歴任したヘンリー・キッシンジャー（1923〜）とニクソンのコンビは、八面六臂の活躍であったことは間違いありません。しかし、72年の選挙で民主党のジョージ・マクガヴァン（1922〜2012）を破って、大統領2期目に入ってからは、すべてが逆に回り始めます。ベトナムから米軍が撤退して間もなく、南ベトナムは崩壊し、チリはピノチェトの独裁に民衆の批判が高まり、第4次中東戦争による石油ショックが起こり、それはそのままアメリカ経済の不振につながりました。

ヘンリー・キッシンジャー

ニクソン時代はアメリカの威信が失墜する時代でした。アメリカ経済の衰退はニクソン・ショックに典型的に現れたのですが、それはあらゆる分野での「アメリカ衰退」を予兆する出来事でした。後発国に猛追される先進国が、どうしたら経済の衰退から抜け出せるのか。それはアメリカとて例外ではあり得ません。西欧においても経済衰退は進み、ひとり日本だけが気を吐いていました。

これがやがてマネタリズムによる金融・サービス産業へのシフト、製造しない資本主義というきわめて「危険な資本主義」への道をたどらせることになります。

## アジェンデ政権の崩壊

1973年9月11日火曜日（奇しくも、2001年9月11日、ニューヨークのワールド・トレードセンターへのテロ事件の日と同じ）、南アメリカのチリで軍によるクーデタが起こります。アメリカの支援を受けたピノチェト（1915～2006）が大統領官邸に押し寄せ、アジェンデを自殺に追い込みます。

チリのサンチアゴという町は山に挟まれた盆地です。メキシコシティーに似ています。中央にはリベルタドール通りという大通りが貫き、その周辺がこの町の中心で、その中央にモネダ宮殿があり、それが大統領官邸です。

チリは独立国であり、民主制国家ですが、それはあくまでも政治体制の形式上でのことです。実際には、アメリカ資本に完全に牛耳られていて、それに仕える者が大統領になる仕組みになっています。その限りにおいて、社会主義政権など誕生しようがないのですが、キューバ革命の影響は強く、70年にアジェンデが大統領に就任し、アメリカ資本からの脱却を図ります。

本書ではすでに説明していますが、中南米諸国はアメリカ経済の後背地に入り、アメリカの原料供給基地の役割を課せられています。アメリカに安く原料を供給するための鉱山やプランテーションがあり、その経営がアメリカ資本であったり、地元の豪族の資本であったりします。一方でこれらの国に製品を供給するために、アメリカ系の企業が多く存在します。当時、チリに100社以上のアメリカ資本の会社がありました。ダウ、デュポン、ITTなどです。その投資総額は10億ドルでした（前掲書、*Chile*より）。これをどう断ち切るか、これが真の意味での独立への道です。

アジェンデは社会主義的国有化の道を進み、それがアメリカの逆鱗に触れました。アメリカ企業はニクソンにそれを訴えます。ニクソンは、第2のキューバの誕生を恐れ、ひそかにアジェンデ政権崩壊計画を立てます。キューバによる社会主義国家誕生のドミノ的現象は、ボリビアやベネズエラなどに波及していました。ブラジルやアルゼンチンといった周辺の親アメリカ政権も参加し、アジェンデ政権を崩壊させる計画を実施します。

チリには、カトリック大学とチリ大学という2つの名門大学があります。大学の校舎は向かい合わせに立っていますが、そのあり方は対照的です。カトリック大学は私学で保守的、チリ大学は国立で革新的です。それは今も同じで、チリ大学には立て看（政治問題をアピールする立て看板）が構内に見られます。アジェンデ政権側についたのは、このチリ大学です。

アメリカにシカゴ大学というキリスト教系の名門大学があります（熱心なバプティストの事業家ジョン・ロックフェラーが1890年に創設）。そこにはオーストリアからやってきた新自由主義者のハイエクを中心として、ミルトン・フリードマンたちがいました。この大学の「シカゴボーイズ」は、アジェンデ政権崩壊後のチリの政権運営を新しい実験として考えます。

80年代に一般化していく新自由主義の政策が初めて実験されたのが、このチリでした。チリでは、アジェンデ亡き後、企業は再び民営化され、経済規制はどんどん緩和されます。一方で、大学への統制や監視、法的な自由の規制は強化されます。新自由主義というのは、経済的自由の代償として政治的不自由と法的規制を押しつけることに特徴があります。

こうして、クーデタの後、多くの市民や学生が行方不明となります。裁判もなく学生や市民の処刑が実行されていくのです。いまだに行方不明者の実態はつかめていません。

２０２０年10月、コロナ下でも継続された市民運動によって、とうとうこのピノチェト下の憲法の修正の権利を勝ち取りました。しかし、提案された憲法をめぐって、その後、紛糾が続いています。

## 中東戦争と石油ショック

冷戦の変化が見える一方で、戦争の袋小路に入った地域があります。それが中東です。中東問題は、戦後のユダヤ人国家イスラエルをめぐって起こります。

パレスチナの地に、ヨーロッパでナチの収容所に入れられたユダヤ人を送り込み、そこに新しい国家をつくるという考えは、19世紀のシオニズムの延長線上にありました。シオニズムの目指す大地は、当時、中東以外の地、南アメリカに求められていたのですが、戦後の中東への楔としてパレスチナが選ばれました。最初は社会主義国家として進んだイスラエルが、やがてアメリカや西欧の飛び地のような役割、ユダヤ＝キリスト教連合を形成するようになり、大きな戦争の苗床となります。

戦後の経済発展にとって、中東の石油、スエズ運河の果たす役割や、アフリカ・アジア・ヨーロッパをつなぐ要衝としての役割から見て、イスラエルの位置はきわめて大きな意味を持つようになります。中東の共産主義化を恐れる動きは、イラン、イラク、エジプトなどの動きと相まって、最も重要な地政学上の位置を占めるようになります。

豊富な石油資源が、中東地域のイスラエル以外の地にあることが、イスラエルにとって重要な問題となります。欧米石油資本の安全を守ること、アラブの産油国が加盟する石油輸出国機構（ＯＰＥＣ）の石油価格値上げに対して監視役を引き受けること、イスラム圏の拡大と共産主義圏の拡大を阻止すること――これらがイスラエルの運命を決めてしまいます。

中東戦争はイスラエルとアラブの戦いだけでなく、西側資本に対抗する後進国、あるいは第三世界の独立の戦いでもあるのです。１９６７年に続いて起こった第４次中東戦争（73年）は、石油の高騰をもたらし、それまでの「安い石油」という資本主義世界の通念を根本から覆します。

資本主義国は、原料資源の安価を利用し、世界経済を支配してきました。そのためにアメリカという軍事力が必要です。軍事ばかりかＩＭＦ、世界銀行などが、反抗する地域には厳しい制裁を加えることで、西側勢力の安定を維持してきました。ところが、そこにソ連などが介入してくると、好き勝手なことができなくなります。

もともと、アメリカ国務長官のキッシンジャーは、勢力均衡（国際均衡論）を建前とした学者であり、基本的に冷戦構造を崩さず、それを維持することに奔走した人物です。だから西側の一角が崩れることには、容赦ない政策をくり出します。それがチリであり、中東での政策でした。現状維持には、きわめて強権的な軍事力が必要になります。

19世紀以降に生まれた国際均衡論は、平和維持を呼び掛けながら、新しい変更は一切拒否するという、きわめて保守的な議論に則っています。そもそもそうした議論を崩壊させたものが、戦後のアメリカの一国主義（ユニラテラリズム）で、これは世界をアメリカ中心に塗り変えるという政策です。

しかし、いずれほかの巨大勢力と対峙することになります。その場合、戦争も辞さないというのが、トルーマンからケネディまで続いた冷戦論でした。

アメリカの中東政策は、周辺国にイスラエルを認めさせ、現状の構成を認めさせるということに焦点がありました。そのため平和条約が次々に生まれますが、その都度破られ、戦争状態がむしろ恒常化します。

アメリカが直接支配することを避けることで、ソ連との緊張関係や軍事競争は避けられますが、つねに紛争が続くことになります。

ニクソン政権は、中国やソ連との関係を改善しますが、それは自国の領地をお互いに守り合うことに徹するという方針、デタントを生み出します。いわゆる〝雪解け〟ですが、これはヤクザの手打ちにも似て、それぞれが自分の領地を守って相手の領地には手を出さないことで、自国に敵対的な小国に厳しい弾圧を加えることにつながります。

ソ連はそこでアフガニスタン戦争（1978〜89年）という最大の失態をやってしまいます。「第2のベトナム戦争」の始まりです。これはのちに触れることになります。

## 日本経済の躍進と米欧の衰え

現在、日本が苦悩している問題があります。それは、後発国に追い上げられた国が陥る経済停滞です。日本は、韓国・台湾・中国に技術で追いつかれ、そこから抜け出られない轍にはまっています。

先進国は技術的優位によって、大きな利益を得ます。戦後アメリカはこの技術的優位によって世界の生産力を支配し、市場を支配してきました。

ところが、技術的優位はいずれ失われていきます。もちろん、技術をさらに発展させていけば、優位は保てます。また、新しい商品・販路において独自の展開をすることで、後発国をしのぐことも可能です。

1970年代には、アメリカやヨーロッパは、日本の追随技術によって凌駕され、輸入超過に陥ります。不況の始まりです。こうしたかつての日本のような後発組は、さらに中国や韓国といった次の後発国を生み出し、先進国はその牙城を次第に侵食されてしまいます。アメリカ企業の衰退は、まさにこうした状況が原因となったのです。

ケネディからニクソンへの時代は、アメリカが追い上げられる時代で、アメリカの力の衰退期であったとも言えます。強いアメリカをどう立て直すかが、70年代のアメリカの課題でした。先進産業が侵食されるに任せ、それを転換し、新たに挑戦すべき産業が見つからないと、衰退は必然的です。

## 石油ショック、日米構造協議と〝ジャパン・アズ・ナンバーワン〟

グレープフルーツ、繊維、そして自動車問題へと波及してくる日米貿易摩擦問題は、石油ショックとも相まって大きな衝撃を与えました。

1974年の石油ショックは、アメリカ的生産方式に大きな打撃を与えました。湯水のごとく燃料を費消するアメリカ車に対して、日本は燃費効率の高い自動車を生産することで、アメリカの環境基準をクリアし、最も推奨されるべき自動車となります。とりわけ、5リッター、6リッター、8気筒、16気筒エンジンからコンパクトサイズの車に代わることは、石油価格の上昇というトレンドから見れば、当然のことでした。

60年代に地球環境問題が世界で大きな関心を呼び始め、公害をいかに克服するかという議論

ジェラルド・R・フォード

ジミー・カーター

が起こります。企業や社会で公害への意識が高まり、大きくて資源浪費の甚だしい自動車や電気製品は、まるで恐竜が淘汰されるように撲滅されます。アメリカ型大量消費社会が、もはや受け容れられなくなってきたわけです。これに乗じた日本は、低燃費、低公害などの技術を発展させ、性能は高いが低価格の製品を米欧に売ることで、経済大国へとのし上がっていきます。

ニクソンの後を継いでアメリカ大統領になったジェラルド・R・フォード（1913〜2006）、そして、その後のジミー・カーター（1924〜）は、新しい戦略へと転換していきます。

その第1が、社会主義市場圏への投資でした。それは生産国としての技術提供と資本投資です。これが、やがて結果として社会主義圏を崩壊させ、西側資本主義圏へ従属させる原因となりますが、重要なのは次の第2の戦略です。

それは、経済構造の変化です。資本主義を牽引してきた自動車産業などの第2次産業から、ソフトやサービス業といった第3次産業への転換がそれです。物を製造して売るという発想から、物の使い方や技術を売るという方向への転換は、著作権保護のもとでのみ可能な政策です。技術優位という考えを進めることで、アジアの国々に低レベルの生産品を製造させ、アメリカは特殊技術の製品に特化していく。それが大型コンピュータの軽量化でした。

巨大なコンピュータを真似ていた日本は、ＩＢＭの戦略の前に目的を失います（１９８２年に起きたＩＢＭスパイ事件は、その典型的な事件でした。日立、三菱の社員がＩＢＭの秘密を盗み出そうとして告発されました。互換機路線を進む日本と、互換機をやめ、新しいコンピュータに進もうとしていたＩＢＭの戦略の違いが明らかになった事件です）。さらにＩＢＭは、コンピュータの軽量化のなか、次第にソフト産業へ転換していきます。その転換こそが、マイクロソフトなどのソフトメーカーの出現を促しました。アメリカは後発国の追い上げに対し、サービス産業へ舵を切ることで何とかしのぎましたが、これこそが、ソ連などの社会主義国に、西側に追いつけない技術格差の問題を突きつけました。

後発国日本は、80年代のこうしたアメリカの変化をよそに、生産という点ではアメリカをしのぐ勢いを誇っていました。その動向は、エズラ・F・ヴォーゲル（１９３０～２０２０）の有名なベストセラー『ジャパン・アズ・ナンバーワン　アメリカへの教訓』（阪急コミュニケーションズ、１９７９年）に記述されています。

エズラ・F・ヴォーゲル

またアメリカは、まったく新しい「レーガノミクス」というマネタリズムの政策を始めました。「新しい」と言いつつも、これはある意味で原始的な自由主義政策の蒸し返しです。エゴイズムを企業の本性だと考えれば、なるべく税金は払いたくない。なるべく多くの利益を自分のものにしたいと思う。それが最初の前提で、当時アメリカを含めてまったくこの〝本性〟を無視した政策を行なっていたと言えます。すなわち、企業に高い法人税を課し、なるべく過剰に儲けさせないようにする。そうすると企業の稼ぐ意欲が落ちて、結果的に納税額は減り、国家税収は減り、社会福祉などに税金を回すことができなくなります。

これを反転させるには、法人税率を下げ、企業が意欲的に稼ぐように刺激する。そうすると、税収の総額は増え、国はそれを必要なところに注ぐことができます。これは、税率を上げると逆効果になって、かえって税収が減るというアメリカの経済学者アーサー・ラッファー（1940〜）が提唱した「ラッファー曲線」と同じ考え方です。

アーサー・ラッファー

儲かった企業があれば、そこから滴がしたたり落ちるように、下部へと利潤が回って行くというのが、「トリクルダウン」と言われる政策です。急がば廻れで、最終的に国家の福祉を拡大するには、資本家に儲けやすいようにしてやり、税収の総額を増やすということです。

こうしてアメリカ経済では、80年代の厳しい状況のなかで、次第に産業転換が起こっていきます。古い産業から新しい産業への転換は、後発国によるアメリカ経済へのフォローアップを困難なものにします。

新自由主義的な経済政策は、チリで実験された結果を見ればわかるように、資本家などへの経済的な規制は緩和しますが、人間の自由を実現しようとするものではなく、むしろ規制を強化することに結びつきます。共和党の大統領で、「レーガノミクス」のロナルド・レーガン（1911～2004）が保守的とみなされるのはこの点であり、学生運動や労働組合活動を規制しました。その主旨に立つならば、アメリカにはびこる社会福祉や平等主義を粉砕し、力ある者のみが支配する自由主義に変えるものでした。

その影響で、大学もランキング化され、ブランド化され、他国の大学に比べて教育効果が優れているから授業料が高くなる、ということになります。これは授業料の高さと教育の質は比例するという認識で、金のある者がいい教育を受けられるというシステムなのです。教育は、平等や自由を求めるものではなく、高い地位を得るためのものだという功利主義が一般にも浸透します。そのために、それまで社会改革や社会批判に寄与するとして大学が誇りにしていた学問が追いやられ、機能主義的な学問の時代が始まります。学問の価値を功利的に計測する合理主義がはびこるのです。

これは大学以外にも流布し、やがてヤッピー（yuppy = young urban professionals）と呼ばれる、若くて優秀で高所得のビジネスマンが理想とされる時代がやってきます。こうした動きとともに、社会に対する批判が減少し、私的な平和と平穏が政治の目的となり、それは企業のための戦士を生み出すことになります。

こうしたアメリカ社会は、ある種の「ターボ資本主義」「カジノ資本主義」に変わったとも言えます。資本主義の論理をむき出しにすることによって経済成長を加速させ、それによって地球上の富を一気に消費させます。そして所得格差を広げ、エコノミックアニマルを理想の人間像へと押し上げ、社会を自己責任と闘争の世界に変えてしまうことになります。

その当然の結果は、１９８９年以後に、金融資本主導の実体を持たないフィクティブなものが支配的な社会として現れます。

# 第15章 新自由主義と社会主義世界の崩壊

## ——アフガニスタン侵攻とレーガノミクス

## 1981年の社会主義国家

1981年から82年にかけて、私は当時のユーゴスラビア連邦共和国のザグレブに政府給費留学生として滞在していました。そもそもソ連に行くつもりだったのに、なぜユーゴスラビアになったのかといえば、ソ連型社会主義への疑問がありました。

チェコスロバキアとポーランドに行く予定で、「プラハの春」からちょうど10年後の1978年8月、ニュールンベルクから夜行列車で、プラハへ入りましたが、街の印象は最悪でした。ホテルは満室で、最後には山の上のスパルタキヤード（巨大な競技場）近くのユースホステルに泊まりました。

国の様子は、人々の態度に現れます。あまり外国人と接触していないということもあるのでしょうが、やる気がないということが如実に伝わってきました。ポーランドへ、ワルシャワからオストラバを通って入る予定でしたが、急遽止めて西ドイツへ戻りました。

それから3年後の9月、私はザグレブの街に到着します。よほど運が悪いのでしょうか。到着したその日はザグレブの見本市の日で、ホテルがどこもいっぱい。しかし、たまたま列車で乗り合わせたマケドニア（当時、ユーゴスラビア共和国）人が、民宿を世話してくれました。イタリアのトリエステから列車に乗り込んだときに、気軽に話しかけてきたなかの一人が、このマケドニア人でした。彼はパリで働いている（のちにパリでも下宿を世話してもらいます）ということで、親しくなりました。

ホテルが決まっていないという人がほかにも何人かいて、彼らと一緒に車に乗せられ、どこかわからない場所の民宿に連れていかれました。部屋割りが始まり、ある者はキャンピングカーを割り当てられていましたが、私は運よく普通の部屋になりました。

翌日ザグレブ大学の寮に行ったのですが、入ることができず、路頭に迷って、結局オーストリアのザルツブルクまで戻ることになります。いずれの街も印象が悪いのですが、ただユーゴスラビア人は人がいいということだけはわかりました。もちろん、個人的な印象にすぎないと、ここで断っておきます。

その後、いくつかの社会主義国を訪れますが、明るいと感じたのはユーゴスラビアだけでした。彼らはいささか粗野な面がありますが、したたかでもあり、自主管理という仕組みは彼らに合っているということがわかりました。

もちろんユーゴでの暮らしは楽ではありませんでした。住み始めてすぐに私が直面したのは、ユーゴ経済の崩壊という現実でした。それは社会主義計画経済体制の失敗ではなく、西側から借りた膨大な借金の返済に追われ、自国経済を緊縮せざるを得ないという、発展途上国経済の現実でした。人々は毎日愚痴をこぼし、政治を呪い、チトーが生きていた時代はよかったと、いつもため息をついていました。彼らの口癖で覚えているのは、「Nema(ネマ) Novca(ノヴツァ). Nema(ネマ) Ništa(ニスタ).」という言葉です。「金(かね)も何もない」という意味です。

81年9月、アメリカの利子率は17％前後で、今から考えると信じられない高さでした。これを返済するのは大変なことです。高利子率でドルが強くなり、当時、1ドル＝280円くらいでした。ユーゴのディナールは、さらに安く、大量に輸出していてもドルが増えません。それでいて、毎月2000億円くらいの借金を返さなくてはならない。この体制は持たないと予感しました。

ほかの社会主義国でも大同小異でした。これは西側が仕掛けた「トロイの木馬」だったのです。マルクスは、『資本論』で「囲い込み」について書いていますが、農民を離農させて労働者にするために、彼らに金を貸し付け、土地を奪うという話です。まずは借金をさせて、当座は楽な生活を送らせ、やがて身ぐるみを剥ぐのです。まさに『ヴェニスの商人』のシャイロックのような話です。発展途上国の経済とは大方そんなものと言えますが、社会主義圏には「コメコン」という鉄壁の守りがあって、閉鎖経済を機能させてきたのです。

それがデタントの罠にはまってしまいます。大量の西側資本が入って来ることで、たしかに数年はいい生活ができましたが、返済の時期が来て、さらに高利率を課せられ苦しみが増します。まさに高利はレーガンの反共政策だったことに気づくのですが、時すでに遅し、です。

89年の崩壊に至る流れは、自由を求める声や社会主義体制の脆弱さが引き起こしたものではなく、まさに古典的なシャイロック的金融によってつくり出されたのです。前に、チリが新自由主義の実験場であったと述べました。その成果は、自国アメリカ、イギリスでも、さらにはソ連・東欧へと当てはめられていきます。新自由主義が社会主義国の閉鎖体系を開き、資本主義の一市場として組み込み、それが結果的に社会主義圏を完全に崩壊させたのです。アメリカは、ミサイルではなく経済でソ連・東欧を屈服させたのです。

## 社会主義＝国家主義という迷妄

本書の最初で述べたことを繰り返しておきます。

社会主義社会が一国社会主義として出現した20世紀という時代において、そのロシアの社会主義は、ヴェルサイユ条約の下で生まれたということがきわめて重要です。

１８１５年のウィーン条約の再バージョンでもある１９１８年のヴェルサイユ条約は、「民族自決権」を大きな基本としました。ウィーン条約が戦前の体制の堅持を基準にしたのに対し、民族自決権を入れたことは進歩でした。ウィーン条約も、憲法を作成できる法治国家を目指した点で、復古と同時に進歩の要素を含んでいたのですが、そこでは東欧地域の民族自決権は排除されたままでした。

ヴェルサイユ条約は、民族自決に従って東欧地域の独立を認めます。しかし、アジア・アフリカは、この外に置かれたのです。もともとウィーン条約でも、アジア・アフリカは外に置かれ、ヨーロッパ列強の国際均衡のなかで問題になるだけのことでした（イギリス、フランスの植民地には介入しない）。

相互不干渉の均衡こそモンロー宣言の精神であって、北米でいえば、カナダというイギリスの領分を侵さない限り、アメリカは自由に活動できるという主旨です。だから、中南米、そして日本やフィリピンに関しては、いずれのヨーロッパ列強の領分にも入っていないので、この対象外とするというわけです。

ロシアは当然、ウィーン会議の当事国だったのですが、ヴェルサイユ会議に関してはロシア革命によってその埒外（らちがい）となったわけで、非ヨーロッパ国ということになります。ロシアはやがてソ連となり、多くの共和国を吸収し、巨大な国家となりますが、吸収した地域のなかにはヨーロッパ列強の権益に触れる地域、たとえばポーランド、ウクライナ地域、バルト海地域などがあります。これに対する怒りがＮＡＴＯによるソ連への軍事介入となり、今でもロシアに対する欧米の執拗な攻撃の理由になります。

もっともソ連という国家の中核であるロシアは、近代的国民国家の枠を踏襲した国であり、しかもロシア帝国を引き継いでいます。ロシア帝国の権益を確保することで、それとマルクス主義を接合していったのです。共産主義という発想は、最初からロシア的国家の枠組みの中に存在していました。ロシアを中心としたソ連共産党が、それ以外の地域を支配するという発想は、第三インター内での上下関係に影響を及ぼし、ソ連のロシア化を促進することで、多くの批判を国際労働者運動の内部に生み出すことになります。それはやがて第二次大戦以後、東欧にも持ち込まれていきます。

もちろんウィーン会議の枠を取り払うという発想自体を生み出したのはアメリカで、アメリカのウィルソンは、民族自決を主張しながら、アメリカはその枠から離れた「帝国」を目指し、多国間主義ではなく、一国主義を採ります。モンロー宣言から一国（単独）主義への変貌は、アメリカをヴェルサイユ会議の外に追いやりました。

もっともこうやってモンロー宣言の外に出たからこそ、アメリカはヨーロッパとは違う帝国として、ヨーロッパ戦線参加も可能になったわけです。終戦後アメリカは、単独主義の国として国際連盟には加盟していません。国際連盟はヴェルサイユ会議の延長線上にあったからです。

第二次大戦は、ソ連、日本、ドイツが国際連盟から離脱することで単独主義の国となり、国際均衡の理念が崩れたために起こったのです。

戦後は国際連盟の理念を持続するかたちで国際連合が出発するのですが、脱退する国が出ないように国連内で格付けが導入され、常任理事国という特別枠が生まれます（米ソ中仏英）。しかし、わがままな単独主義の国がそこに入ることになります。アメリカ、ソ連は脱退はしないものの、国際均衡を守らない権利を有する単独主義の国として存在することになります。

第二次大戦後は、ソ連とアメリカの二大陣営――ソ連の管轄する東欧・中国、アメリカの管轄する西欧諸国に分裂し、それ以外の小国はそのどちらかにつくということで始まりました。冷戦構造は、単独主義の2か国が対峙するという形成期の上に生まれます。

ソ連は、単独主義の国家として東欧や中国ににらみを利かし、それをマルクス主義で色塗り

コルホーズの女性労働者
（ソ連の郵便切手）

エフセイ・リーベルマン

をするということになります。自ずとそのマルクス主義の解釈は、国家主義的になります。社会化とは国有化を意味し、国有、すなわち国家の所有するものが拡大することが共産主義を意味するというような解釈になります。社会化が本来意味する「人民所有」という概念への言及はなされず、国家が所有することがすべての目標となります。ソフホーズ（国営農場）とコルホーズ（協同体農場）による農業の集団化の過程で、最終的にコルホーズを消滅させるという発想こそ、国有化＝集団化だったのです。

　私が学んだマルクス主義も、そうした意味でおおむね国家主義的なマルクス主義であり、スターリン批判があった後も、こうした発想は変わっていませんでした。

　すでに述べたように（第1章）、私は卒業論文のテーマに「1965年のソ連経済改革」を選びました。これは、スターリン時代、そしてフルシチョフ時代にも解決しなかったソ連経済の非効率性の問題であり、ハリコフ経済大学のエフセイ・リーベルマン（1897～1981）が、経済改革案として提出したものです。企業の自主性を回復させるために、内部留保金の確保を促し、企業内の報奨金を設けて刺激を与え、生産性を向上させるという議論です。

しかし、企業は一社で存在しているのではありません。ひとつの生産物は、さまざまな企業を通じて最終的な製品になるのであって、それに関わる多数の企業の集団による生産物です。このような企業集団を独立させ、競争させないと生産性は上がりません。安い原材料を選択して購入したり、質の低い生産物を拒否できる権利が保証されなければなりません。その自由がない限り、改革は無理です。結局、私の結論として、この改革は不十分に終わったということになります。

私にとって、ソ連に留学する意味はなくなりました。国家主義的マルクス主義は最終的に機能しないということです。

ユーゴスラビアは、「自主管理」の経済運営という看板を掲げていたのですが、それとてユーゴ共産党による一党支配、自主管理の企業のほとんどは国有（小規模を除き）という状況で、国家主義＝共産主義であったことに変わりはありませんでした。それが官僚主義と党の腐敗を生み出し、活力をそいだことも事実です。

1978年に訪れたチェコスロバキアで見たものは、まさにそのショッキングな姿でした。ヴェンツラス大通りにあったヤルタホテル（今もヤルタ・ブティック・ホテルとして存在しています）のレストランで、メニューに書いてある品を注文すると、従業員は次から次へと「ない」と言うのです。「では、なにがあるのですか?」と問うと、「ひとつか、2つしかない」と言う有様でした。それならば、最初から1品だけメニューに書いておけばよい。これが計画経済なのかと驚いた経験がいまだに思い出されます。

## ソ連のアフガニスタン侵攻

1979年、ソ連のアフガニスタン侵攻は、ソ連体制の崩壊の直接の原因になっていきます。雪解けによるデタントが、社会主義社会の経済を次第に資本主義世界市場に誘い込み、借金漬けによって崩壊させていったとすれば、アフガニスタン問題は、冷戦構造下にあった単独主義的ソ連国家の国家主義が、墓穴を掘った戦争であったと言うことができます。

ソ連・東欧経済は、それぞれの国の物価レベルにおいては、それなりの高いGNPを保っていました。当時のソ連の経済規模は、アメリカと日本に挟まれた2位だったのです。もっとも、その実態は、低い生産性と技術水準、非効率、低品質など、あらゆる点において比較にならない状態であったことは確かです。

たとえば本です。ソ連・東欧の本は、紙質が悪く、カビが生えやすいので、たいへん困ります。自動車や時計なども、西側と比較すると、とても同じものとは思えないものが多い。製品の品質という点では、ソ連・東欧は発展途上国であったとも言えます。それはそのまま個々人の生活の質にも反映されます。

国境を西側と接する東ドイツ、チェコスロバキア、ハンガリーなどでは、その違いがじかにわかります。経済成長に伴う労働者不足で、西欧は東欧から出稼ぎ労働者を入れ、彼らが西側商品を持って帰るからです。ユーゴスラビアに関しては、自由に外に出ることができたので、その影響は大きなものがありました。西ドイツは、55年にイタリアと外国人労働者募集協定を締結したあと、スペイン・トルコ・モロッコ・ポルトガル・チュニジア・ユーゴスラビアと同じような協定を結び、1年の期間の労働者の受け容れを行ないました。

彼我の技術力の差は、軍事力にも現れました。レーガンの宇宙戦争計画「SDI (Strategic Defense Initiative)」は、ある種のハッタリであり、その荒唐無稽さは、当時ヒットした映画『ET』や『未知との遭遇』にも似ています。それでも、宇宙船からレーザー光線で軍事施設を攻撃するというアイデアには、現実性は別として、ソ連が驚いたのは事実でした。軍拡競争に反映する技術力の格差は、ソ連の戦略を粉々にしました。日々能力の上がる半導体や小型コンピュータ、小型化され高機能化した精度の高い兵器が、新たな脅威として立ち現れたのです。

## 地政学の要衝

アフガニスタン問題は、アメリカのイラン問題と同じころに起きます。アフガニスタンは、人類史でも最も重要な地政学的位置にある国です。アフガンを押さえる者が文明を支配すると言ってもいいのです。

それはシルクロード、インド洋へとつながるわずかな回廊がアフガニスタンだからです。この道は、アフガニスタンのバクトリア地域でしか採取できない瑠璃（ラピス・ラズリ）が出ることから、〝瑠璃の道〟とも呼ばれます。中国、インドと中東とロシアの間にはヒマラヤ山脈、カラコルム山脈、ヒンドゥークシ山脈、パミール山脈、コーカサス山脈がそびえています。それを抜けるにはアフガニスタンを通るしかない。それがこの地に文明を発展させたと同時に、紛争の大地にしているのです。

カザフスタンやウズベキスタンまでは難所がないのですが、そこからタジキスタン、アフガニスタンに行くには高山が邪魔します。ロシアの南下は、18世紀以降、トルコから地中海、コーカサスからペルシア、アフガニスタンからインドへと進み、いずれも阻まれます。トルコにおいては、英仏とトルコがそれを阻止し、コーカサスではペルシャ（イラン）が阻止し、インドへはアフガニスタンがそれを阻止してきました。

大黒屋光太夫（左）

ロシアは運河と川を通じて黒海とつながっています。そのため、クリミア戦争（1853～56年）が起きます。アゼルバイジャン、アルメニアまでは侵攻できてもペルシアには山があり、簡単ではない。アフガニスタンは地形的に難攻不落である。ロシアはアムール川に出て、強力な清との戦いを避けてオホーツクへ出て、アイヌに接近していきます。それがちょうど、海難事故でアリューシャン列島に漂着し、ロシアで9年半を過ごすことになった回船の船頭、大黒屋光太夫（1751〜1828）の時代と重なります。ロシアは南下を強め、いずれ朝鮮を通して日本と対峙するようになります。ロシアを阻止するために、ペリーの黒船が来航し、その後には英仏も日本に接近してきます。

イギリスは、1830年代の終わりにアフガニスタンへの攻撃を行なったことがあります。数年にわたった攻撃にもかかわらず、アフガニスタンを落とすことができませんでした。18世紀にアストラハン朝（ウズベキスタン）、ササビー朝（イラン）、ムガール朝（インド）の大国に属していたこの地域が、アフガニスタンとして独立したのですが、この3国の衰退の後、やって来たのがロシアとイギリスでした。ロシアの南下はトルコ、東アジア、アフガニスタンの都合3か所で起こるわけです。

ムハンマド・ダーウード

イギリスのアフガニスタン戦争は、1838年からの第1次、1878年からの第2次、1919年からの第3次と展開されます。不屈の精神を持つアフガニスタンを支配する者はいるのか、これが今も問題となっています。

ソ連のアフガン侵攻は、同地の1973年のクーデタから始まっています。それまで続いた王政を打倒し、

ハフィーズッラー・アミン

共和政の時代が始まります。その首謀者ムハンマド・ダーウード（１９０９〜78）は、ソ連に接近します。ソ連は援助を約束しますが、ダーウードはソ連から次第に離れていきます。

78年4月、軍事クーデタが起こり、ダーウードは暗殺され、首謀者ヌール・ムハンマド・タラキ（１９１７〜79）は、社会主義政権を樹立します。タラキは国有化を進めソ連に近づきますが、次第に独裁政権を樹立していきます。

一方、アメリカとの関係をもっていたハフィーズッラー・アミン（１９２９〜79）を中心とした勢力が、このタラキ政権に反対する運動を展開します。79年、反対運動が激化し、タラキは暗殺され、アメリカ寄りのアミンが政権を取ります。

ソ連はこのアミン政権を潰すために軍事介入を決定しますが、やがてソ連はアミンを暗殺し、タラキの時代の副大統領バブラク・カルマル（１９２９〜96）を政権の座に就けます。ソ連軍の支配のもと、カルマルは政権を握りますが、人民への粛清の結果、アフガン政府軍は反政府に鞍替えしていくことになります。ソ連は反政府活動を潰すために10万人以上の兵力を送りますが、アフガン軍のゲリラ戦で消耗していきます。

この戦いがイスラム勢力のムジャヒディーン（アラビア語で「イスラム教の大義により聖戦を実行

レオニード・ブレジネフ

する者」の意）による聖戦（ジハード）へと変貌していくなかで、終わりのない戦争へと進んでいきます。ムジャヒディーンがやがてタリバンとなっていき、アメリカやパキスタンの支援を得ます。ソ連対イスラムという対立構造は、もはや中東問題と同じく解決の糸口のない泥沼へと至ります。

アメリカとの軍事競争で疲弊し、経済競争で衰退したソ連には余力もなく、レオニード・ブレジネフ（１９０６～82）に続く指導者の相次ぐ死のなかで、本体の屋台骨が腐っていきます。

## シカゴ学派とレーガノミクス

アメリカの対ソ連・東欧政策のひとつの契機は、アメリカで新自由主義政権が生まれたことでした。１９８０年の大統領選挙で民主党のカーターを破った共和党のロナルド・レーガンは、シカゴ学派の経済学である新自由主義を導入します。アメリカやヨーロッパはスタグフレーションに悩まされていたのですが、その解決策こそこの新自由主義でした。

戦後アメリカの経済政策はケインズ主義が一般的で、ハーバード大学の指導のもと国家の規制による設計主義的計画経済が主流でした。実体経済の発展が経済を決めるという発想は、シカゴ学派のミルトン・フリードマンのような貨幣が経済を決めるという発想を受け容れませんでした。アメリカ経済をどん底に陥れた29年の大恐慌は、政府による規制がなされず、過剰に信用が拡大したことが原因だとされ、銀行や証券会社といった金融機関への厳しい制限が課せられていきます。そして、国家の公共事業による景気浮揚策により、「大きな政府」という概念が一般化します。

ロナルド・レーガン

しかし、大きな政府が経済をゆがめていると考えたのが、シカゴ学派でした。景気浮揚は、何かをつくることよりも、何かを買いたいという消費者の願望がもたらす。そのためには、買うための貨幣があることが重要で、貨幣があればどんどん消費が進み、それが経済を成長させるというのが、シカゴ学派の考えでした。

フリードマンとシュウォーツは、大恐慌をテーマにした著書（『大収縮 1929-1933［米国金融史 第7章］』久保恵美子訳、日経BP社、2009年）のなかで、大恐慌は消費意欲の減退が原因で、それを避けるにはどんどん紙幣を刷り、ヘリコプターでばら撒けばよいと主張しています。国家による需要創出ではなく、民間による総需要の拡大によって大恐慌は避けられたという考えです。

レーガンがやろうとしたのは、強いアメリカの再生でした。強いアメリカは、世界中の貨幣を集めることから始まります。そこで高金利政策が採られます。アメリカは世界中から集めた資金を投資し、最先端の研究開発を行ないます。それと同時に国家によるさまざまな規制をなくし、資本の移動を自由にし、新しいソフト産業などの分野への投資を拡大します。税金を安くし、人々の消費と投資を拡大することで、アメリカ経済を浮揚させます。

こうしてだぶついていた大企業の労働者が大幅にレイオフされ、企業はスリムになり、そうした政策を大胆にやったおかげで株価が上がり、企業家の収入はキャピタルゲインによってさらに上昇しました。

もちろんこれは、短期的にはアメリカ経済を不況に追い込みました。税収の減少が、アメリカの財政支出を弱め、道路などの公共事業を弱らせ、それが不況をもたらします。

しかし、このことがソ連・東欧への締め付けにつながり、やがて崩壊の原因となります。また、こうして（減税、株高により）あり余った資金は、半導体やコンピュータなどの産業、とりわけソフト産業へ流れたことで、次世代の製品、IT産業とソフト産業が開花します。

これによって日本のような追随型経済は追いつけなくなり、アメリカはソフト産業による新たな経済の創出に成功します。このことが、多分にSF的だった宇宙戦争を現実化させ、ソ連に対する痛手となりました。いずれにしろ、先進国アメリカが後進国や追随国に嫌と言うほどの屈辱を与えるきっかけとなったのです。

## 世界市場と世界システム

「世界システム論」という議論があります。それは世界市場がひとつのシステムとして動いているというものです。中央、半周辺、周辺という環のようなかたちをとりながら、世界市場は一体として動いているというのです。この議論に従うと、遅れた地域は、入れ替えはあるとしても、必然的につねに存在せざるを得ず、つねに遅れた地域が周辺として、中央を支えるということになります。中央は先進国で、これらの国は、半周辺、周辺をその傘下に収めることで、主従関係を構築します。こうした世界市場は、世界にひとつしか存在することはできません。

すべてが世界市場に統一されるしかないとすれば、ソ連・東欧はこの世界市場に飲み込まれ、半周辺の位置に甘んじるしかありません。

## 1989年という年

1980年ごろから、すでにポーランドではレフ・ワレサ（1943年〜）を中心とする造船労働者の運動、「ソリダルノスチ運動」が始まっていました。東欧の不景気は深刻で、返すべき利子をめぐって国内の経済は破壊的状況になっていました。ソ連・東欧ともに世界市場において債務地獄に落ちることで、生産物を西側に売るしかありません。もちろん、計画経済の失敗や国家官僚の不合理さが、これに輪をかけたことは間違いありません。

一例として、6月収穫の小麦を挙げてみましょう。小麦が収穫されると、それをトラックに乗せて、サイロ（農産物や飼料を蓄える倉庫）まで運びます。しかし不思議なことに、最初に乗せた小麦の多くが、徐々に消えていく。道路には重量計が置いてあり、トラックの積載重量を測るのですが、それを監督する警官が小麦を少しずつかすめ取り、私腹を肥やすのです。

こうした風習は、社会主義時代以前からありました。かつては絶対主義の官憲や国家から身を守るため、次は共産主義の官憲や国家から身を守るために、こうした行為に出るのです。勤勉に働いて、真っ当に利益を出すという姿勢にそもそも乏しく、そんな状態のまま社会主義に移ったのですから、大変です。社会性が欠落したまま、社会主義思想が喧伝され、上滑りしているのです。

レフ・ワレサ

ロシア・東欧の多くの地域は、進んだ資本主義の十分な洗礼を受けることなく、社会主義になりました。資本主義は、一方で利己的であるとしても、他方で社会性も育てていたのです。社会性とは法を守る、刻苦勉励するといったことであり、社会全体をよりよいものにしようとする社会倫理です。しかし、それがないままに、他人の領分を奪う野蛮な資本主義からそのまま社会主義に移行してしまったのです。
すでに82年、ブレジネフが亡くなったとき、ポーランドのヴォイチェフ・ヤルゼルスキ（1923～2014）の政権は戒厳令を布く〝死に体〟の政権でしたし、ほかの東欧諸国も経済的にはきわめて深刻な状態でした。

ヤルゼルスキ

その後、ソ連共産党の老人支配は、死ぬ間際の人物を書記長に据え、次々とトップが替わります。ユーリ・アンドロポフ（1914～84）、コンスタンティン・チェルネンコ（1911～85）、そして若きミハイル・ゴルバチョフ（1931～2022）が1985年に書記長に就くことで、ようやくソ連の体制は落ち着きを見せました。

こうした老朽化した共産党の幹部の存在は、ユーゴスラビアでも同じで、80年にチトーが亡くなった後、彼に代わるべき指導者がいなかったことと、各共和国の反目があったことで、大統領の輪番制を採用します。こうして毎年のように誕生する、無能で無責任な大統領が、国をますます崩壊に導く構図が固まりました。これこそが、およそ長期政権の後に起こる現象です。

ゴルバチョフは、衰退するソ連経済の救世主として登場し、改革＝ペレストロイカという政策を打ち出します。腐敗した官僚社会には、国家に寄生する人々が数多くいました。それを改革によって変えるということは簡単ではありません。角を矯めて、牛を殺すことにもなりかねません。

89年、日本は昭和天皇の死とともに始まりました。ユダヤ的数秘術で9は不吉な数字とされます。そもそもゴルバチョフは、米ソの軍拡競争が国の破綻を招いたと言っていますが、それ以上に先端産業の技術力の差と、経済的格差がソ連を崩壊させたと言うべきでしょう。

ユーリ・アンドロポフ

ミハイル・ゴルバチョフ

チェコで78年に私が体験したあの冷え冷えとした感じは、その後もソ連に残り、役所などに行けば味わうことができたでしょう。官僚的偏屈さと傲慢さです。これをタタール的文化と言うならば、それもそうかもしれません。それが〝金環蝕〟のように国家を蝕んでしまったのかもしれません。

佐藤優が『自壊する帝国』（新潮社、２００６年）で指摘したように、まさにソ連のみならず、東欧すべてが自壊する日を待っていたような時代でした。

## ベルリンの壁の崩壊とドミノ現象

１９８９年の夏、私はユーゴスラビアにいました。

テレビでは連日のように、東独からチェコスロバキアを通りハンガリーに行き、ハンガリーからオーストリアへ、オーストリアから西ベルリンへと逃げ込む難民の様子が放送されていました。ハンガリー政府は彼らを止めることもなく、人々はどんどん走って国境を越えていました。

オーストリアからハンガリーに入ったとき、緩衝地帯でバスがぐるぐるとS字型の道を通っていた記憶があるのですが、簡単に西側にたどり着けないようになっていたことは確かです。ユーゴでは、ミロシェヴィッチが権力を取っていました。私は、東京にいたミロシェヴィッチの娘マリアをよく知っていましたし、その夫でもあったミシュレーノヴィッチとも面識がありました。品川の彼らの家で御馳走になったり、またミシュレーノヴィッチは私の住んでいた茅ケ崎の公団に遊びに来たこともありました。

当時のユーゴスラビアは、第一次大戦後のドイツのようなハイパーインフレに陥っており、通貨ディナールはほとんど価値がなく、ドル、マルクを使ったことを思い出します。これでは長く持たないなという感じはしていました。チェコスロバキアでも、ポーランドでも、市民運動が展開し、東ドイツでは市民がホーネッカー体制（エーリッヒ・ホーネッカー〔1912～94〕）をぶち壊すうねりができていました。それがベルリンの壁を壊す動きに向かっていきます。

もちろん、この動きが社会主義政権の崩壊につながるとは、最後の最後まで誰も思っていませんでした。ある意味、ドミノ現象であったと言えます。ベルリンにおける壁の崩壊で、東西ドイツが28年ぶりに壁なく結ばれたわけですが、この動きはブルガリアやルーマニアにまで広

エーリッヒ・ホーネッカー

がり、89年12月25日のチャウシェスク夫妻の銃殺の映像とともに、この年が終わります。それは奇しくもフランス革命200年の年に当たっていました。
しかし、この事件はこれで終わらず、1990年代に持ち越されるのです。

## あとがき

本書は、『「19世紀」でわかる世界史』の続編で、20世紀の1989年までを対象としています。この時代の歴史は、まさにアメリカを含めた西欧資本主義の時代であり、西欧を中心として世界が回っていました。

もちろん、その西欧の外に、西欧の植民地のアジアやアフリカ、そして、ソ連・東欧や中国などの社会主義諸国があったのですが、世界の基軸は西欧資本主義であり、それを中心に世界は動いていたと言えます。

さらに、植民地は独立後も西欧資本主義から経済的に独立できず、やがてソ連・東欧や中国も資本主義に吸収されていくなかで、20世紀は終焉へと向かいます。

本書は、20世紀といっても、1990年以後を扱っていません。それはなぜかと言えば、90年以後の資本主義一人勝ちの時代が、皮肉なことに、資本主義の危機を再びもたらす時代になったからです。

その時代は、グローバリゼーションの時代とも言えます。しかし、それがそれまで支配してきた西欧社会を次第に弱体化させ、アジアの時代、アフリカの時代という状況を見せ始めてきたのです。

この経過については機会を改めて述べたいと思いますが、20世紀が西欧の時代の頂点ならば、それは皮肉にも、西欧が頂点をきわめた時代、資本主義の頂点の時代で終わるしかないからです。

さて、ひとつお断りしておかねばならないことがあります。本書の内容と文章には、拙著『資本主義全史』(SB新書、2022年)と重複する部分があります。とくに経済に関係する部分です。また本書は、神奈川大学エクステンション講座の2020年度「世界史講義」をまとめたものです。

2023年8月8日　伊豆高原にて　　的場昭弘

## マ



## ヤ



## ラ



## ワ

# 人名索引

マルクス、レーニン、スターリンなどの頻出する人名は省略しています。

## ア



## カ



## サ

的場昭弘（まとば　あきひろ）
日本を代表するマルクス研究者、哲学者。マルクス学、社会思想史専攻。1952年、宮崎県生まれ。慶應義塾大学大学院経済学研究科博士課程修了（経済学博士）。マルクス学、社会思想史専攻。元神奈川大学経済学部教授（2023年定年退職）。同大で副学長、国際センター所長、図書館長などを歴任。
著書に『超訳「資本論」』全３巻（祥伝社新書）、『未来のプルードン』（亜紀書房）、『カール・マルクス入門』（作品社）、『「19世紀」でわかる世界史講義』『最強の思考法「抽象化する力」の講義』（以上、日本実業出版社）、『20歳の自分に教えたい資本論』『資本主義全史』（以上、ＳＢ新書）、『一週間de資本論』（NHK出版）、『マルクスだったらこう考える』『ネオ共産主義論』（以上、光文社新書）、『マルクスを再読する』（角川ソフィア文庫）、『いまこそ「社会主義」』（池上彰氏との共著・朝日新書）、『復権するマルクス』（佐藤優氏との共著・角川新書）、訳書にカール・マルクス『新訳　共産党宣言』『新訳　初期マルクス』『新訳　哲学の貧困』（以上、作品社）、ジャック・アタリ『世界精神マルクス』（藤原書店）など多数。

資本主義がわかる「20世紀」世界史講義
2023年10月20日　初版発行

著　者　的場昭弘 ©A.Matoba 2023
発行者　杉本淳一

発行所　株式会社日本実業出版社　東京都新宿区市谷本村町３-29 〒162-0845
編集部　☎03-3268-5651
営業部　☎03-3268-5161　振　替　00170-1-25349
https://www.njg.co.jp/

印刷・製本／中央精版印刷



ISBN 978-4-534-06040-2　Printed in JAPAN